PROFIL LITTÉRATURE

Collection dirigée par Georges Décote

BAUDELAIRE
LES FLEURS
DU MAL

10 POÈMES EXPLIQUÉS

par Marie CARLIER
Agrégée de l'Université

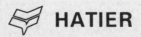 HATIER

Sommaire

© HATIER PARIS JANVIER 1985

ISBN 2 - 218 - **07109** - 6

Mode d'emploi

Cet ouvrage présente dix poèmes extraits d'un recueil poétique du dix-neuvième siècle. Deux textes sont étudiés sous forme d'explication de texte, trois sous forme de commentaire composé.

Les cinq autres sont analysés grâce à diverses pistes de lecture permettant l'examen des poèmes sous plusieurs angles : situation, structure, lexique, thèmes, images, rythme et sonorités. Ce sont autant d'axes qui doivent vous permettre de dégager les principales lignes directrices d'un texte et de construire, avec méthode, votre propre explication ou votre propre commentaire.

Il est bien sûr arbitraire de dissocier ces différentes rubriques car toutes concourent à un même effet de sens. Mais cette séparation se justifie d'un point de vue pédagogique, car trop d'élèves privilégient une ou deux de ces pistes au détriment des autres. Si l'étude des thèmes est souvent menée à bien, une analyse précise et méthodique du rythme et des images fait fréquemment défaut.

Nos rubriques ont donc pour tâche de vous aider à interroger un texte sous ses multiples aspects, car comprendre un texte c'est avant tout savoir l'interroger.

A la suite de chaque rubrique, un plan de commentaire composé vous est proposé. Il offre une structuration possible - et non unique - pour le contenu des six rubriques.

Introduction

Œuvre peu reconnue lors de sa parution (1857, 1re édition, 1861, seconde édition) et même condamnée pour son immoralité, *les Fleurs du Mal* ont été consacrées par les poètes de la fin du 19e siècle et les écrivains du début du 20e siècle comme l'ouvrage précurseur de la poésie moderne. Actuellement, le recueil de Charles Baudelaire (1821-1867) est un des livres les plus étudiés tant au lycée qu'à l'université.

• Structure des *Fleurs du Mal*

Ce recueil retrace un itinéraire moral et spirituel rendu nettement sensible par la structure de l'œuvre. Le premier poème, *Au lecteur,* affirme, dans un constat pessimiste, que la nature profonde de l'homme est de s'abandonner au mal. Quoique voué au péché, le poète cherche à s'en délivrer et à atteindre l'idéal.

La section *Spleen et Idéal* envisage deux moyens pour s'élever au-dessus de la médiocre condition humaine : l'art d'abord, puis l'amour. Quarante-deux poèmes seront consacrés à l'amour et répartis en quatre cycles correspondant à des femmes différentes qui incarnent divers visages de l'amour. Jeanne Duval ouvre le cycle de l'amour sensuel ; Madame Sabatier évoque un amour spiritualisé. Le troisième cycle - celui de l'amour tendre et apaisant - trouve son unité dans le regard de Marie Daubrun. Le dernier est consacré à des figures féminines moins précises. Mais ces deux tendances aboutiront à un échec. Le spleen triomphera en se manifestant sous toutes ses formes : dégoût de vivre, obsession du temps, angoisse et désespoir. La réalité accable le poète dans toute sa banalité et son horreur. Il faut trouver d'autres solutions pour échapper au mal.

Plusieurs voies vont alors être explorées par Baudelaire. Dans la section *Tableaux parisiens,* qui fait suite à *Spleen et Idéal,* la communion humaine dans le cadre de la grande ville semble d'abord permettre de vaincre angoisse et sentiment d'isolement. Mais la fraternité au sein de la cité est illusoire et l'homme est renvoyé à sa propre solitude. De plus, la ville, loin d'être un lieu de rédemption, est le théâtre de la corruption et de la prostitution.

Une nouvelle partie, consacrée au vin (*Le Vin*), célèbre son pouvoir d'évasion. Il permet aux pauvres d'oublier leur misère (*L'âme du vin, Le vin des chiffonniers, Le vin de l'assassin*). Mais le remède apporté par le vin n'est qu'un artifice éphémère.

Dans la quatrième section, intitulée *Fleurs du mal,* l'homme tente de guérir le mal par le mal. Il a recours à la débauche pour oublier la médiocrité de son existence. Baudelaire évoque ici des formes perverties de l'amour : amour destructeur et sadique (*La destruction, Une martyre*), plaisirs interdits (*Femmes damnées*). Mais cette quête du plaisir est condamnée car la luxure est liée à la mort *(Les deux bonnes sœurs).* La fascination du mal n'aura fait que précipiter la chute de l'homme.

Dans le cycle de la *Révolte,* cinquième section, l'homme cherche à nier son sort misérable en se rebellant contre Dieu. Mais ce reniement demeure sans effet. Il ne reste plus qu'une solution : la mort.

Elle est envisagée d'une façon sereine dans la dernière section, *La Mort.* Elle est une délivrance pour tous ceux qui ont souffert (*La mort des pauvres, La mort des artistes*). Elle représente la réalisation suprême de l'amour (*La mort des amants*). C'est enfin la seule possibilité d'échapper au connu et de trouver du nouveau (*Le voyage*).

Ce recueil s'impose donc comme une tentative désespérée d'extraire la beauté de la souffrance et du péché, c'est-à-dire de recueillir *les Fleurs du Mal.* Ainsi s'explique le titre de l'œuvre.

• Justification du choix des poèmes

Le cadre de cet ouvrage ne nous permet de retenir que dix poèmes sur les cent vingt-six qui composent le recueil lors de sa seconde édition (1861). Nous aurions pu prendre parmi ces dix textes un poème tiré de chacune des six sections (cf. plus haut). Or sept poèmes proviennent déjà de la première section, *Spleen et Idéal*. Ce choix s'explique. Cette section est de loin la plus importante puisqu'elle comprend 85 des poèmes du recueil. C'est aussi la plus personnelle et la plus riche : Baudelaire y expose sa théorie de l'art (cf. deux des poèmes étudiés, *Correspondances* (p. 7) et *Hymne à la beauté* (p. 51). Il évoque ses différentes expériences amoureuses. Trois textes illustrent les principaux cycles amoureux : *Parfum exotique* (p. 22), celui de Jeanne Duval ; *Harmonie du soir* (p. 66), celui de Madame Sabatier. Deux poèmes sont inspirés par Marie Daubrun mais chacun illustre un thème particulier. *L'Invitation au voyage* (p. 28) mêle les thèmes de la femme et du voyage imaginaire ; dans *Chant d'automne* (p. 15), l'image de la femme ne fait que se profiler derrière le thème prédominant du spleen. C'est ce sentiment qui triomphe dans le dernier poème de la section, *L'Horloge* (p. 43). Deux poèmes représentent les sections du *Vin* et de *La Mort*, *Le vin des chiffonniers* (p. 36) et *La Mort des amants* (p. 74). *Recueillement* (p. 58) n'a pu être inclus dans l'une des six parties car ce texte fut publié en 1868, un an après la mort de Baudelaire. Nous l'avons retenu pour son profond mysticisme.

1 | Correspondances

La Nature est un temple où de vivants piliers
Laissent parfois sortir de confuses paroles ;
L'homme y passe à travers des forêts de symboles
Qui l'observent avec des regards familiers.

5 Comme de longs échos qui de loin se confondent
Dans une ténébreuse et profonde unité,
Vaste comme la nuit et comme la clarté,
Les parfums, les couleurs et les sons se répondent.

Il est des parfums frais comme des chairs d'enfants,
10 Doux comme les hautbois, verts comme les prairies,
— Et d'autres, corrompus, riches et triomphants,

Ayant l'expansion des choses infinies,
Comme l'ambre, le musc, le benjoin et l'encens,
Qui chantent les transports de l'esprit et des sens.

PISTES DE LECTURE

Situation du poème dans le recueil

La quatrième pièce des *Fleurs du Mal*, *Correspondances*, succède à deux textes évoquant la condition malheureuse du poète. Il en est effet maudit par sa mère dans *Bénédiction*, exilé sur la terre et rejeté par les hommes dans *L'Albatros*. Mais la vocation du poète se voit justifiée par les deux poèmes suivants : *Élévation* révèle son génie car il est seul capable de «comprendre le langage des fleurs et des choses muettes» ; *Correspondances* présente le poète comme le médiateur entre la nature et les hommes.

Ce sonnet est enfin le véritable texte inaugural du recueil car il expose une nouvelle conception de la poésie fondée sur les correspondances.

Étude du vocabulaire

On remarque :
- un vocabulaire concret se rapportant à la « Nature » (vers 1) et aux sensations (« forêts », v. 3 ; « parfums », « couleurs », « sons », v. 8) ;
- un vocabulaire abstrait présent :
- dans le titre même du poème. Le mot « correspondances[1] » est un terme fréquemment employé par les mystiques pour désigner l'analogie existant entre les différents règnes de la nature. Ainsi, pour eux, le règne végétal et le règne animal - dont l'homme fait partie - participent d'une vie identique et sont tous deux l'incarnation d'une réalité spirituelle[2] ;
- dans le concept d'unité[3] (v. 6), essentiel dans la pensée mystique puisque celle-ci se propose de retrouver l'unité fondamentale de l'univers derrière la diversité du multiple ;
- dans la référence à un langage intelligible (« paroles », v. 2 ; « symboles », v. 3).

1. Baudelaire a trouvé ce mot chez Swedenborg, philosophe suédois du XVIIIe siècle, et chez Balzac qui reprend la pensée de Swedenborg. Ce mot désigne le principe de l'analogie universelle. Il apparaît chez Platon pour qui les réalités sensibles, matérielles, ne sont que le reflet des Idées, c'est-à-dire d'un monde spirituel. La notion d'analogie est le postulat fondamental de la pensée mystique et idéaliste.
2. Le philosophe français Charles Fourier (XIXe siècle) précise la nature de cette analogie. Pour lui, il existe une analogie entre les trois règnes de la nature (minéral, végétal, animal), car ces trois réalités matérielles renvoient à des notions plus abstraites (l'amour, la vérité...) que Fourier appelle les passions de l'homme. En voici deux exemples. Celui-ci assimile les douze paires de côtes de l'homme aux douze passions. Il considère encore la girafe comme un symbole de la vérité parce que c'est un animal qui élève son front au-dessus de tous les autres ; or, le propre de la vérité est de surmonter les erreurs.
3. La pensée mystique discrédite la matière, le multiple, le discontinu qui traduisent une dégradation dans l'espace et le temps. Elle exalte au contraire l'unité du monde spirituel ; unité qui vient confirmer sa supériorité.

Étude des thèmes

Le thème central est évidemment celui des correspondances. Mais on peut en distinguer trois sortes.

• Un système vertical

Pour certains penseurs, l'homme est une réplique, à échelle réduite, de l'univers. Selon le philosophe suédois Swedenborg - dont l'influence est très nette chez Baudelaire - «l'homme intérieur est le ciel sous sa petite forme» et «le ciel est un grand homme». En vertu de cette analogie, l'homme pourra donc connaître l'univers mais aussi découvrir en lui son appartenance au monde spirituel. Ainsi, dans *Correspondances,* le poète peut comprendre la nature parce qu'elle s'apparente à l'être humain (les arbres sont de «vivants piliers», v. 1, qui prononcent de «confuses *paroles*», v. 2). Mais il perçoit encore dans l'unité de ses sensations (cf. thème des correspondances entre les diverses sensations) l'unité même de l'univers dont elles ne sont que le reflet sensible.

«Dans une ténébreuse et profonde *unité*... (v. 6)
Les parfums, les couleurs et les sons se répondent. » (v. 8)

En fait, le système de correspondances verticales repose sur une philosophie spiritualiste. Baudelaire distingue en effet deux plans de réalité : le naturel, c'est-à-dire la matière, qui n'est qu'apparence, et le spirituel, c'est-à-dire la réalité profonde, celle des causes premières à l'origine de l'univers. Par les symboles - signes matériels, concrets, fournis par la nature et porteurs d'une signification abstraite - le poète pourra appréhender la réalité supérieure, spirituelle. Cette tâche est réservée au poète[1] car l'homme, lui, ne fait que «passe(r) à travers des forêts de symboles » (v. 3) sans chercher à en comprendre le sens. Seul celui qui est capable de déchiffrer les symboles pourra interpréter

---

1. Baudelaire affirme en effet : «Les symboles ne sont obscurs que d'une manière relative, c'est-à-dire selon la pureté, la bonne volonté ou la clairvoyance native des âmes. » Pour lui, le poète est donc clairvoyant par nature, prédestiné au déchiffrement des signes.

les signes mystérieux («*confuses* paroles», v. 2, «*ténébreuse*... unité», v. 6) que lui envoie la nature.

- *Les correspondances entre les diverses sensations ou synesthésies*

Baudelaire les définit dans un de ses nombreux textes critiques sur l'art : «Tout, forme, mouvement, nombre, couleur, parfum, dans le naturel comme dans le spirituel, est significatif, réciproque (...) correspondant. » Tout repose sur «l'inépuisable fonds de l'universelle analogie »[1].

Ce sonnet synthétise cette théorie dans un vers resté justement célèbre (v. 8) :

«Les parfums, les couleurs et les sons se répondent. » Elle est illustrée à partir des parfums : certains parfums sont d'abord assimilés à des impressions tactiles («frais comme des chairs d'enfants», v. 9) ; ces mêmes parfums sont ensuite appréhendés comme des sons («doux comme les hautbois», v. 10) ; ils sont enfin confondus avec des impressions visuelles («verts comme les prairies», v. 10).

Ces diverses sensations se correspondent car elles renvoient toutes à une même notion morale, la pureté : pureté des «chairs d'enfants», du son «des hautbois» et du vert «des prairies» qui évoque le vert paradis des amours enfantines du poème *Mœsta et errabunda*.

- *Le prolongement de l'expérience sensuelle en extase spirituelle*

Baudelaire oppose aux parfums précédents les parfums «corrompus, riches et triomphants» (v. 11), privilégiés pour leur pouvoir de suggestion («l'ambre, le musc... et l'encens», v. 13, contiennent tout un monde exotique). Bien plus, leur faculté de propagation, absolument illimitée, leur donne «l'expansion des choses infinies» (v. 12).

---

1. Tout se correspond dans l'univers : sur terre, les différents signes présentent des analogies. Le poète, lui, saisit les ressemblances entre l'homme et la nature (cf. «La mer est ton miroir », dans *L'homme et la mer*, 14e poème de *Spleen et Idéal*.

Les parfums qui s'élèvent sans cesse amènent l'auteur à rêver à des réalités supérieures. L'expansion devient alors exaltation et l'ivresse sensuelle aboutit à l'extase spirituelle car ces parfums

«... chantent les transports *de l'esprit et des sens.*»
(v. 14)

Étude des images et des comparaisons

- L'identification de la nature à un temple (v. 1). Cette image repose sur une analogie visuelle entre les arbres de la forêt et les piliers d'un temple. Elle dévoile encore le caractère sacré de la nature qui devient le lieu d'une révélation. Par son intermédiaire, il est possible de découvrir la signification cachée du monde.
- L'expression «forêts de symboles» (v. 3) qui est doublement intéressante. Les arbres symbolisent la double appartenance de l'homme au monde terrestre, matériel, et au monde céleste, spirituel, car ils sont enracinés dans la terre mais se dressent aussi vers le ciel.

D'autre part, l'allusion à la «forêt» (v. 3), réputée pour être dense et obscure, montre que ces symboles sont nombreux mais qu'ils restent mystérieux.

• *Les comparaisons*

Très nombreuses dans le poème (on trouve sept fois «comme» dans le sonnet), elles établissent les correspondances entre les sensations de différents registres :

«Il est des parfums frais *comme* des chairs d'enfants,
Doux *comme* les hautbois, verts *comme* les prairies. »
(v. 9-10)

Elles témoignent aussi d'un souci didactique de la part de l'auteur qui cherche à nous faire comprendre la théorie des correspondances en nous en donnant un équivalent concret :

«Comme de longs échos qui de loin se confondent
(v. 5)...
Les parfums, les couleurs et les sons se répondent. »
(v. 8)

Portée du poème

• *Portée mystique et spirituelle*

Les correspondances donnent accès à une connaissance mystique du monde, c'est-à-dire à la connaissance de ses mystères par une démarche intuitive et analogique et non rationnelle et logique.

Elles entraînent une plénitude de l'existence puisqu'elles réalisent la fusion de l'expérience sensuelle et de l'expérience spirituelle.

• *Portée poétique*

La théorie des correspondances influence de manière décisive l'évolution de la poésie. En cherchant le sens caché derrière les apparences sensibles, matérielles, elle ouvre la voie à la poésie symboliste qui ne voit dans le réel que le reflet d'une réalité supérieure : les principes, les causes qui régissent le monde.

Elle enrichit aussi l'écriture poétique en reportant sur les différentes formes artistiques les équivalences perçues entre les diverses sensations. En effet, si les sensations sont profondément identiques sous leur apparente diversité, si «les couleurs et les sons se répondent», l'artiste pourra indifféremment utiliser les sons ou la couleur pour traduire ses sentiments[1]. Il ne se limitera plus à une seule forme artistique. Baudelaire ne constate-t-il pas déjà que «les peintres introduisent des gammes musicales dans la peinture »[2] ?

L'École symboliste tirera parti de cette intuition. La poésie verlainienne rivalisera avec la peinture et la musique en portant à sa perfection l'art des synesthésies[3].

---

[1]. Baudelaire affirme dans ses Écrits sur l'art : «Les arts aspirent sinon à se suppléer l'un l'autre, du moins à se prêter réciproquement des forces nouvelles. »
[2]. Dans les *Salons de 1859* (Écrits sur l'art).
[3]. Dans ces deux vers de *Sagesse*, Verlaine fusionne impressions visuelles et auditives : «Les faux beaux jours ont lui (...) / Et les voici *vibrer* aux *cuivres* du couchant. » Le verbe «vibrer» renvoie aussi bien à la vibration des sons qu'à celle des couleurs ; le mot «cuivres» désigne un instrument de musique mais aussi une nuance de couleur.

Étude du rythme et des sonorités

● *Quelques effets rythmiques sensibles*

La profonde harmonie du sonnet est rendue par la scansion régulière des alexandrins, tous coupés (à l'exception du vers 8) en deux hémistiches identiques 6/6. Cette impression culmine dans le dernier vers où mouvement d'extase et sentiment de plénitude sont rendus par l'équilibre parfait de l'alexandrin :

« Qui chantent les transports de l'esprit et des sens. »
     3 ?   /2 3   4/   3 /   3

Enfin la prononciation dissociée de certaines syllabes (on dit expansi/on en deux syllabes et non expan*sion*[1]) traduit par son effet d'allongement le pouvoir de dilatation des parfums :

   «Ayant l'expansi/on des choses infinies. » (v. 12)

● *Étude des sonorités*

a) *Les assonances* (répétition de voyelles identiques).
Au vers 5, la notion d'écho est suggérée par la répétition des sons vocaliques :
   «Comme de longs échos qui de loin se confondent. »
Il y a ici effet d'harmonie imitative.
b) *Les allitérations* (ou répétition de consonnes identiques).
Le phénomène d'écho est encore sensible dans la reprise de chaînes consonantiques semblables se combinant avec le système d'assonances déjà étudié :
« Comme de longs échos qui de loin se confondent. » (v. 5)
   K   DL L   K   K DL L   K   D

---

1. Cela s'appelle une diérèse.

PLAN POUR UN COMMENTAIRE COMPOSÉ

1. Une conception de l'univers et du rôle du poète

a) Une vision spiritualiste du monde.
Cf. distinction de deux réalités : le naturel et le spirituel
(« La Nature est un temple ») + étude des correspon-
dances verticales (cf. Un système vertical, p. 9).

b) Le rôle du poète : déchiffrer les signes.
Cf. Étude du vocabulaire (« paroles »; « symboles ») +
Étude des images, p. 11.

c) Nature et fonction de la poésie.
Naissance de la poésie symboliste (cf. Portée du poème,
p. 12).
Accès à une meilleure connaissance de l'univers.

2. La découverte des synesthésies (ou des correspon-dances entre les différentes sensations) et ses consé-quences sur l'écriture poétique

a) Étude des synesthésies (cf. Les correspondances entre
les diverses sensations).

b) La fusion des sensations aboutit à celle des diverses
formes artistiques (cf. Portée du poème, p. 12 et Étude
des sonorités, p. 13).

c) Une poésie fondée sur la comparaison et la métaphore (cf. Étude des images et des comparaisons, ex. :
« Il est des parfums... verts »).

2 | Chant d'automne

I

Bientôt nous plongerons dans les froides ténèbres ;
Adieu, vive clarté de nos étés trop courts !
J'entends déjà tomber avec des chocs funèbres
Le bois retentissant sur le pavé des cours.

5 Tout l'hiver va rentrer dans mon être : colère,
Haine, frissons, horreur, labeur dur et forcé,
Et, comme le soleil dans son enfer polaire,
Mon cœur ne sera plus qu'un bloc rouge et glacé.

J'écoute en frémissant chaque bûche qui tombe ;
10 L'échafaud qu'on bâtit n'a pas d'écho plus sourd.
Mon esprit est pareil à la tour qui succombe
Sous les coups du bélier infatigable et lourd.

Il me semble, bercé par ce choc monotone,
Qu'on cloue en grande hâte un cercueil quelque part.
15 Pour qui ? — C'était hier l'été ; voici l'automne !
Ce bruit mystérieux sonne comme un départ.

II

J'aime de vos longs yeux la lumière verdâtre,
Douce beauté, mais tout aujourd'hui m'est amer,
Et rien, ni votre amour, ni le boudoir, ni l'âtre,
20 Ne me vaut le soleil rayonnant sur la mer.

Et pourtant aimez-moi, tendre cœur ! soyez mère
Même pour un ingrat, même pour un méchant ;
Amante ou sœur, soyez la douceur éphémère
D'un glorieux automne ou d'un soleil couchant.

25 Courte tâche ! La tombe attend ; elle est avide !
Ah ! laissez-moi, mon front posé sur vos genoux,
Goûter, en regrettant l'été blanc et torride,
De l'arrière-saison le rayon jaune et doux !

COMMENTAIRE COMPOSÉ

Chant d'automne, 56ᵉ poème de la section *Spleen et Idéal* (cf. ci-dessus, p. 4), est directement inspiré par Marie Daubrun, « l'amie », la « sœur » évoquée dans *L'Invitation au voyage* (53ᵉ poème de la même section). Ce texte comporte deux parties : la première, composée des quatre premières strophes, insiste sur la vieillesse et la mort suggérées par une série d'impressions négatives ; la seconde, faite des trois dernières strophes, déplore la fuite du temps, mais sur un mode mineur cette fois-ci, car la femme vient adoucir le spleen du poète, fait de mélancolie et d'un violent dégoût de l'existence. Le poème, d'abord tragique, devient élégiaque, c'est-à-dire pareil à une plainte. A l'angoisse exprimée dans les premiers quatrains succède, dans la seconde partie, la douceur d'un ultime bonheur apporté par la femme.

Nous étudierons donc les symptômes du spleen, puis ses composantes métaphysiques et enfin les différents moyens de le conjurer.

[*Manifestations sensibles et psychologiques du spleen*]

Le spleen se présente d'abord comme la synthèse de plusieurs impressions sensibles. Il se révèle à la faveur d'un bruit, le « choc du bois » - que l'on fait rentrer pour l'hiver - « sur le pavé des cours » (v. 4). Un tel bruit annonce déjà l'hiver et par association d'idées l'état d'angoisse qui s'y rattache. En effet, cette sensation auditive ne trouve sa véritable signification que par l'interprétation qu'en fait Baudelaire. La perception du bruit, fortuite, accidentelle au départ : « J'entends » (v. 3), devient très vite l'objet d'une attention particulière : « J'écoute » (v. 9) et d'un déchiffrement effectué par l'imagination du poète :

> « *Il me semble,* bercé par ce choc monotone,
> Qu'on cloue en grande hâte un cercueil quelque part. »
> (v. 13-14)

L'impression de martèlement engendre les images de « l'échafaud » (v. 10) et du « cercueil » (v. 14). Leur présence s'explique par l'assimilation de l'hiver et de la mort

16

dans la symbolique des saisons. En effet, la périphrase « froides ténèbres » (v. 1) désigne aussi bien l'hiver que la mort, d'ailleurs nettement suggérée plus loin par l'adjectif « funèbres » (cf. « chocs funèbres », v. 3).

La sensation tactile de froid, liée elle aussi à l'hiver et à la mort, constitue la seconde composante du spleen. Les « ténèbres » sont « froides » (v. 1), « l'enfer » (v. 7) est qualifié de « polaire » (v. 7) et le cœur du poète est « glacé » (v. 8). A ce réseau thématique du froid s'oppose celui de la chaleur, représenté par les « étés trop courts » (v. 2) et « le soleil rayonnant sur la mer » (v. 20).

Le contraste entre « les froides ténèbres » (v. 1) et l'évocation de « l'été blanc et torride » (v. 27) fait apparaître une troisième caractéristique du spleen : l'absence de lumière[1]. Ainsi l'auteur en déplore sa fuite au vers 2 :

« Adieu, vive clarté de nos étés trop courts ! »

Ces sensations négatives sont redoublées par une série d'impressions psychologiques correspondantes :

« Tout l'hiver va rentrer dans mon être : colère, (v. 5)

Haine, frissons, horreur, labeur dur et forcé. » (v. 6)

Violence des sentiments (« colère », « haine »), « frissons » de l'âme angoissée, tout traduit l'épouvante, « l'horreur » éprouvée par un esprit que ronge son mal intérieur.

On distingue même une montée progressive de la folie aux vers 11 et 12 :

« Mon esprit est pareil à la tour qui succombe (v. 11)

Sous les coups du bélier infatigable et lourd. » (v. 12)

Nous constatons donc que le spleen est omniprésent : angoisse et dégoût envahissent complètement l'existence. Dans la première partie, la syntaxe énumérative (v. 5, 6) souligne la prolifération des souffrances tandis que le jeu des pronoms, dans la seconde partie, insiste sur cette invasion du spleen :

« (...) mais *tout* aujourd'hui m'est amer, (v. 18)

Et *rien,* ni votre amour, ni le boudoir, ni l'âtre, (v. 19)

Ne me vaut le soleil rayonnant sur la mer. » (v. 20)

---

1. Le bonheur baudelairien se définit au contraire par une certaine qualité de lumière capable de se réfracter et de se propager à l'infini ; cf. p. 33, explication de *L'Invitation au voyage.*

[*Les composantes métaphysiques du spleen*]

Le spleen est en fait provoqué par le sentiment lancinant de la chute dans le temps qui aboutit inéluctablement à la mort. Le thème de la chute se profile en effet dès le premier vers. Le verbe « plonger » (v. 1) n'indique pas seulement un ensevelissement dans l'hiver ; il esquisse aussi l'image du gouffre, symbole du néant où l'homme est englouti. Il s'agit d'un véritable leitmotiv : au vers 3, le verbe « tomber » reçoit l'accent à la fin de l'hémistiche ; au vers 9, le verbe « tombe », situé à la rime, annonce son homonyme de la seconde partie, « la tombe » (v. 25). L'image du gouffre, de la béance, se combine alors dans ce vers avec le thème de l'avidité et la figure de l'ogre :

« (...) La tombe attend ; elle est avide ! » (v. 25)
Cette impression de chute trouve son origine dans une conscience très aiguë de la faute originelle[1], suggérée ici par un fort sentiment de culpabilité (« même pour un *méchant* », v. 22).

Les conséquences de la faute ne se font pas attendre : l'homme échoue dans le temps et se voit condamné par sa condition mortelle. En effet, la fuite du temps, le sentiment de vieillesse prématurée - Baudelaire n'a que 39 ans lorsqu'il écrit *Chant d'automne* - sont au cœur du spleen. Le retour constant des adverbes de temps traduit cette obsession : « bientôt », au vers 1, insiste sur la venue imminente de l'hiver ; l'adverbe d'intensité « trop » dans l'expression « étés trop courts » (v. 2) souligne la promptitude de cette fuite du temps ainsi que le complément « en grande hâte » (v. 14). Sa progression irrémédiable est également rendue sensible par le rythme précipité du vers 25 :

« Courte tâche ! La tombe attend ; elle est avide ! »
            4   /   4   /   4
L'alexandrin perd ici son rythme binaire pour un rythme ternaire plus rapide. Cette accélération est encore renfor-

---

1. Il s'agit du péché originel commis par Adam et Ève et dont tout être humain est coupable en naissant.

cée par le martèlement de consonnes momentanées et brutales, les dentales (t) et (d) : «cour*t*e *t*âche», «*t*ombe», «a*tt*end», «avi*d*e». On aboutit alors à la confrontation nostalgique d'hier et d'aujourd'hui :

«(...) C'était hier l'été ; voici l'automne ! » (v. 15)

L'imparfait montre bien que cette période est définitivement révolue. Le thème du regret, esquissé ici, réapparaîtra dans la seconde partie :

«Ah ! laissez-moi (...) (v. 26)

Goûter, en *regrettant* l'été blanc et torride, (v. 27)

De l'arrière-saison le rayon jaune et doux ! » (v. 28)

L'obsession du temps entraîne fatalement l'évocation de la mort. Elle s'insinue d'abord avec l'adjectif «funèbres» (v. 3), puis avec l'image des vers 7 et 8 :

«Et, comme le soleil dans son enfer polaire,

Mon cœur ne sera plus qu'un *bloc rouge et glacé*»,

qui synthétise deux manifestations sensibles de la mort : le froid et l'immobilité. Les signes s'inversent : le soleil, source de chaleur et de vie, est prisonnier de la glace ; le sang, symbole lui aussi de vie, ne circule plus. Il se solidifie, devient «figé». La mort est enfin représentée directement par l'évocation de «l'échafaud» (v. 10), du «cercueil» (v. 14) et de «la tombe» (v. 25).

[*La femme ou l'ultime consolation*]

Baudelaire va chercher dans l'amour un moyen de conjurer le spleen. La deuxième partie de *Chant d'automne* s'ouvre en effet sur une déclaration d'amour :

«*J'aime* de vos longs yeux la lumière verdâtre. » (v. 17)

La beauté du regard de Marie Daubrun pourrait être un dérivatif à l'angoisse ; mais le suffixe péjoratif de l'adjectif «verd*âtre*» déprécie l'éclat de sa beauté. De plus, la structure antithétique du vers 18 :

«Douce beauté, *mais* tout aujourd'hui m'est amer»,

soulignée par l'adversatif «mais» placé juste après la coupe, marque l'impossibilité d'une consolation amoureuse. Baudelaire rejette en effet tous les symboles de l'intimité, domestique («l'âtre», v. 19) ou amoureuse («le «boudoir», v. 19). Il leur oppose la vision d'un paysage exotique, aimé et regretté, qui contraste radicalement avec l'image de la femme. Aux figures du clos et de l'intime, l'auteur substitue le symbole de l'infini, la mer :

« Et rien (...)

Ne me vaut le soleil rayonnant sur la mer. » (v. 19-20)
La mer incarne la nostalgie d'un ailleurs, mais aussi la chaleur, la lumière grâce à la réverbération du soleil sur l'eau. Cette alliance étroite des éléments est rendue par l'allitération harmonieuse des nasales et des liquides : « rayonnant sur la mer ». La conjuration du spleen par la femme semble donc être un échec, car la lumière de l'âtre et celle des yeux de Marie sont d'une faible intensité quand on les expose à l'éclat du soleil.

Pourtant l'angoisse baudelairienne est telle que le besoin d'une présence se fait pressant, comme le suggère la reprise insistante des impératifs : « aimez-moi » (v. 21), « soyez mère » (v. 21), « laissez-moi, mon front posé sur vos genoux » (v. 26). L'ardeur de cette prière est encore rendue sensible par le cri « Ah ! » (v. 26) et les tours exclamatifs relevant d'une syntaxe affective.

Mais l'alternative « amante ou sœur » (v. 23) montre l'indifférence du poète quant à la nature de cette relation. A défaut de passion, la tendresse suffit, celle d'une « douce beauté » (v. 18), d'un « tendre cœur » (v. 21). Aussi est-ce bien la figure de la mère que Baudelaire sollicite : « soyez mère » (v. 21). A la relation maîtresse-amant se substitue une relation mère-enfant esquissée au vers 26 :

« Ah ! laissez-moi, mon front posé sur vos genoux. »
Baudelaire s'adresse à la mère car elle seule peut le protéger, donner sans espoir de retour (« même pour un ingrat », v. 22) et pardonner (« même pour un méchant », v. 22). La mère est donc bien la figure du don et du pardon. Cette image maternelle joue un rôle essentiel chez Baudelaire. Elle reflète non seulement l'attachement maladif du poète à sa mère, mais elle permet encore de renouer avec un monde d'innocence et de pureté, « l'innocent paradis des amours enfantines » du poème *Mœsta et errabunda.*

La femme se confond enfin avec l'automne. Le texte se clôt effectivement sur un chant d'automne à deux voix où

se font alternativement entendre la nostalgie d'une intensité perdue et l'évocation d'une volupté éphémère et paisi-
ble représentée par «le rayon jaune et doux » « de l'arrière-
saison » (v. 28). Ce plaisir précaire et tout en demi-teintes
trouve son expression parfaite dans le motif de l'automne,
symbole de l'ultime trêve avant le déclin définitif. Le
moment de la journée évoqué confirme cette impression :
comme l'automne, le «soleil couchant » (v. 24) représente
les derniers feux de la vie. Leur apogée est suggéré par
l'adjectif «glorieux» («un glorieux automne», v. 24) et
par l'embrasement du soleil quand il se couche ; mais leur
affaiblissement est déjà sensible dans les contrastes blanc-
jaune, torride-doux (v. 26, 27, 28). L'automne se colore
néanmoins d'impressions positives, de douceur et de
calme. L'extrême régularité du dernier vers, coupé 6/6 :

«De *l'arr*ière-saison   *le r*ayon jaune et doux »,

<u>3 / 3</u> // <u>3 / 3</u>

6   6

la fluidité de l'allitération en liquides traduisent cet apaisement.

*

Ce poème est donc à double titre un chant d'automne : il
joue sur la correspondance abstraite automne-saison men-
tale du poète et sur l'analogie concrète douceur de l'au-
tomne-douceur de Marie. La signification du poème ne
peut-elle pas alors s'inverser : l'angoisse provoquée par la
fuite du temps paraît se changer en une ultime satisfaction
et la peur de la mort devient peut-être la promesse d'un
ailleurs (v. 15-16) :

«(...) C'était hier l'été ; voici l'automne !
Ce bruit mystérieux sonne *comme un départ.* »

Chant d'automne, certes, rappelle les poèmes du spleen :
il en possède les composantes sensibles, psychologiques et
métaphysiques. Mais l'originalité de ce poème consiste
justement à transformer la dissonance initiale en une
extrême harmonie, à tirer de la souffrance un chant du
cygne dont la beauté repose sur un subtil jeu de correspondances entre l'état mental du poète, la saison et la
femme aimée.

3 | Parfum exotique

Quand, les deux yeux fermés, en un soir chaud
[d'automne,
Je respire l'odeur de ton sein chaleureux,
Je vois se dérouler des rivages heureux
Qu'éblouissent les feux d'un soleil monotone ;

5 Une île paresseuse où la nature donne
Des arbres singuliers et des fruits savoureux ;
Des hommes dont le corps est mince et vigoureux,
Et des femmes dont l'œil par sa franchise étonne.

Guidé par ton odeur vers de charmants climats,
10 Je vois un port rempli de voiles et de mâts
Encor tout fatigués par la vague marine,

Pendant que le parfum des verts tamariniers,
Qui circule dans l'air et m'enfle la narine,
Se mêle dans mon âme au chant des mariniers.

EXPLICATION DE TEXTE

Introduction

Ce sonnet ouvre, dans la section *Spleen et Idéal,* le cycle
consacré à Jeanne Duval (cf. plus haut, p. 4). La fusion de
l'érotisme et de l'exotisme, caractéristique de ce cycle,
tient à la personnalité de Jeanne Duval, mulâtresse extrêmement sensuelle. Baudelaire la rencontre à son retour de
l'île Maurice en 1842. Mais ici, la femme s'efface très vite
devant la puissance de son parfum qui engendre la vision
et le poème, comme l'indique d'ailleurs le titre : *Parfum
exotique.* Le poème est marqué par un mouvement de
crescendo : le rêve s'actualise de plus en plus et le sonnet se
clôt sur un état d'extase provoqué par le jeu des correspondances.

L'attaque du poème :

« Quand, les deux yeux fermés, en un soir chaud
d'automne », (v. 1)

est d'ordre anecdotique. Elle indique les conditions qui concourent à rendre le climat de rêverie à l'origine de la vision. On y trouve l'attitude de la rêverie (« les deux yeux fermés »), le moment qui la favorise (le « soir ») et la saison propice au regret et à la nostalgie (l'« automne »). Les conditions climatiques - il s'agit d'« un soir *chaud* d'automne » - évoquent déjà des contrées exotiques.

C'est dans un univers clos que l'imaginaire se déploie : les yeux sont « fermés », l'espace est circonscrit par la nuit.

Le verbe attendu après l'adverbe « quand » est doublement mis en valeur par un effet d'attente et par sa position en début de vers :

« *Quand...* (v. 1)
Je respire l'odeur de ton sein chaleureux. » (v. 2)

Le motif du « sein chaleureux » présente une forte connotation érotique mais révèle aussi l'importance de l'image maternelle. L'intimité amoureuse aboutit à une régression car le bonheur, pour Baudelaire, est toujours lié à l'enfance.

Le verbe de la principale n'apparaît qu'au vers 3. Il est mis en relief de la même façon que « je respire ». Le lien étroit qui unit l'odorat et la vue est souligné par l'adverbe « quand » (qui traduit la simultanéité) et la position symétrique des verbes en début de vers : « Quand (...) *Je respire (...) Je vois (...)* » (v. 1, 2, 3).

La magie suggestive du parfum provoque le déploiement de la vision :

« Je vois se dérouler des rivages heureux. » (v. 3)

L'évocation des « rivages heureux » succède à celle du « sein chaleureux ». Un paysage exotique vient se substituer à la figure féminine. On perçoit alors nettement le rôle joué par la femme : libératrice de l'esprit et de la vision, elle n'est au fond qu'un prétexte au rêve. Après avoir accompli son rôle de médiateur, elle peut disparaître. Elle s'efface en effet des visions suivantes et ne réapparaîtra qu'une fois à travers son parfum : « Guidé par *ton odeur...* » (v. 9)

La vision du poète est tout intérieure puisqu'il voit « les deux yeux fermés ». Le poème perd alors son caractère anecdotique pour prendre un aspect visionnaire ; il se transforme en un tableau exotique.

Tous les mots du vers 4 s'accordent à souligner la qualité de lumière régnant sur ce paysage, ces

> « rivages heureux
> Qu'éblouissent les feux d'un soleil monotone ».

Le verbe, mis en relief en début de vers, insiste sur l'intensité de cette lumière (« éblouissent ») ; le pluriel (« les feux ») évoque une lumière fécondée de ses multiples reflets sur l'eau.

Le soleil et la mer inaugurent donc la vision d'un monde paradisiaque - le soleil est symbole de vie, la mer de liberté et d'infini - qui va se préciser dans le second quatrain.

*

L'île, évoquée au vers 5, représente à plusieurs titres le paradis originel : nettement délimitée, préservée de la civilisation, c'est le lieu utopique par excellence, le symbole de l'âge d'or. Elle incarne ainsi toutes les aspirations de l'imaginaire. L'île illustre enfin le mythe de la terre-mère dont la générosité est inépuisable :

« Une île paresseuse/où la nature *donne*

Des arbres singuliers et des fruits savoureux. » (v. 5-6)
L'île parvient à concilier des notions contradictoires comme l'oisiveté et la fécondité (les termes « paresseuse » et « donne » se répondent en fin d'hémistiche). A l'activité fébrile et souvent stérile du monde moderne, Baudelaire oppose une éthique de l'otium, une morale de l'oisiveté, prônée en ces termes dans *La chevelure* :

> « (...) ô féconde paresse !
> Infinis bercements du loisir embaumé ! » (v. 24-25)

Les adjectifs mettent en valeur les deux composantes du paradis baudelairien : l'exotisme (« des arbres *singuliers* ») et la sensualité («des fruits *savoureux*»). L'allusion à la saveur des fruits reflète une conception païenne du paradis car dans l'Éden biblique le fruit est amer. Ici, le fruit n'est pas défendu comme dans la tradition chrétienne et la chute originelle est impossible. Cette vision harmonieuse de l'univers est rendue par la régularité même du vers 6 coupé 6/6, par la construction syntaxique identique des deux hémistiches (article + substantif + adjectif) et l'allitération en «s»: «*s*inguliers»/«*s*avoureux».

A la description de la végétation succède celle de la population. L'accent est d'abord mis sur la beauté et la santé physique des hommes «dont le corps est mince et vigoureux» (v. 7). La nudité, loin d'être frappée d'opprobre, témoigne de l'innocence et de la beauté de l'homme naturel. A l'apparence physique des hommes répondent les vertus morales des femmes: à la nudité des corps correspond une transparence des âmes:

«Et des femmes dont l'œil par sa franchise étonne.»

(v. 8)

Le verbe «étonne» montre que cette relation innocente entre les hommes et les femmes n'a plus cours dans notre monde civilisé, perverti par la corruption et la débauche.

*

Les deux premiers vers du premier tercet réaffirment la toute-puissance du parfum. L'effet de symétrie «Quand... Je respire... Je vois» est repris ici (v. 9 - 10):

«*Guidé par ton odeur* vers de charmants climats,
Je vois un port rempli de voiles et de mâts.»

L'attraction exercée par le paysage exotique est de nouveau confirmée par l'adjectif «charmants» pris ici au sens de «fascinants».

Le champ de vision s'est déplacé. A l'évocation de l'île s'est substituée celle du port. Symbole de l'évasion et du voyage, le port résonne comme la promesse d'un retour au paradis originel qui vient d'être évoqué dans les quatrains. Il semble baigner dans une atmosphère extrêmement lumineuse: on imagine parfaitement la blancheur des

voiles et l'éclat du soleil sur la mer, rendus par les assonances des voyelles éclatantes qui dominent les deux ter-
cets : « Je vois un port rempli de voiles et de mâts »,
« charmants climats », « fatigués », « vague marine », « pendant », « parfum », « tamariniers », « m'enfle la narine »,
« âme », « chant », « mariniers ».

La description du port est aussi placée sous le signe de
la profusion : le port est « rempli de voiles et de mâts » et
les sensations diverses y abondent :

- olfactives : « le parfum des verts tamariniers » (v. 12)
- visuelles : « rempli de voiles et de mâts » (v. 10), les
« verts tamariniers » (v. 12)
- auditives : le « chant des mariniers » (v. 14).

La rêverie s'épanouit à partir de sensations et d'éléments concrets. Le réel est appréhendé de façon synecdo-
chique, c'est-à-dire qu'une partie (par exemple, les « voiles ») suffit à désigner le tout (les bateaux). Cette perception est bien sûr métonymique[1], puisque la signification abstraite est toujours suggérée derrière la chose
concrète (le bateau, par exemple, évoque le voyage).

L'univers baudelairien est ainsi chargé de symboles
propres à incarner la rêverie. Le port en est un privilégié
puisqu'il concilie des désirs contradictoires. Il est d'abord
figure de la clôture (puisque les bateaux viennent s'y repo-
ser, v. 11) et image de la vie bercée et protégée (on remarque en effet que le bercement de la vague marine revêt un
caractère maternel). Baudelaire établit ici un lien profond
entre les homonymes « mer » et « mère ». Mais le port est
aussi le lieu de l'expansion, d'une ouverture vers l'ailleurs
et l'infini, provoquée par le mouvement d'échange inces-
sant entre les différentes sensations. L'odorat et la vue se
confondent d'abord dans l'évocation du « parfum des
verts tamariniers » ; enfin le « chant des mariniers » se
greffe à la vision des tamariniers. L'auteur reproduit, sur

---

1. La métonymie est une forme d'image reposant sur un rapport de proximité. On
désigne ainsi le contenant pour le contenu : boire un verre (pour boire l'eau dans le
verre), ou le signe pour la chose signifiée, c'est-à-dire dans notre poème le bateau
pour le voyage.

le plan phonique, l'unité de ce monde sensible en établissant un jeu d'échos grâce à la rime de mots presque homophones («tamariniers», «mariniers») et au réseau très dense d'assonances et d'allitérations. A la série de voyelles éclatantes - étudiée précédemment - se mêlent les allitérations de consonnes douces et continues : fricatives f/v («*v*ois», «*v*oiles», v. 10; «*f*atigués», v. 11; «par*f*um», «*v*erts», v. 12; «m'en*f*le», v. 13; liquides l/r et nasales m/n («cha*rm*ants c*l*i*m*ats», v. 9; «**m**âts», v. 10; «**ma**-*r*i*n*e», v. 11; «**ta**ma*r*iniers», v. 12; «**ma**riniers», v. 14).

Cette unité sensible entre «les parfums, les couleurs et les sons (qui) se répondent» comme dans le poème *Correspondances* ne peut nous être révélée que par l'intermédiaire du poète. C'est seulement «dans (s)on âme» (v. 14) que tout fusionne. Le mot «âme» opère le glissement du plan sensible au plan spirituel ; il nous révèle ainsi le prolongement de toute extase sensuelle pour Baudelaire. La progression croissante du dernier vers traduit ce paroxysme des impressions :

«Se mêle dans mon âme au chant des mariniers.»
   2 /   4   /   6

Conclusion

Le sonnet *Parfum exotique* nous laisse sur une impression dominante de perfection formelle, car il s'agit d'un sonnet absolument régulier. Mais cette forme idéale ne saurait être privilégiée aux dépens de la richesse des significations à l'œuvre dans ce poème. *Parfum exotique* retrace le cheminement d'une rêverie reposant essentiellement sur les sensations. Mais celles-ci nous révèlent aussi la continuité symbolique qui unit ces trois figures de la protection et du bonheur que sont, pour Baudelaire, le sein maternel, l'île et le port.

4 | L'Invitation au voyage

Mon enfant, ma sœur,
Songe à la douceur
D'aller là-bas vivre ensemble !
Aimer à loisir,
5   Aimer et mourir
Au pays qui te ressemble !
Les soleils mouillés
De ces ciels brouillés
Pour mon esprit ont les charmes
10   Si mystérieux
De tes traîtres yeux,
Brillant à travers leurs larmes.

Là, tout n'est qu'ordre et beauté,
Luxe, calme et volupté.

15   Des meubles luisants,
Polis par les ans,
Décoreraient notre chambre ;
Les plus rares fleurs
Mêlant leurs odeurs
20 Aux vagues senteurs de l'ambre,
Les riches plafonds,
Les miroirs profonds,
La splendeur orientale,
Tout y parlerait
25   A l'âme en secret
Sa douce langue natale.

Là, tout n'est qu'ordre et beauté,
Luxe, calme et volupté.

Vois sur ces canaux
30   Dormir ces vaisseaux
Dont l'humeur est vagabonde ;

C'est pour assouvir
Ton moindre désir
Qu'ils viennent du bout du monde.
35   — Les soleils couchants
Revêtent les champs,
Les canaux, la ville entière,
D'hyacinthe et d'or ;
Le monde s'endort
40 Dans une chaude lumière.

Là, tout n'est qu'ordre et beauté,
Luxe, calme et volupté.

PISTES DE LECTURE

Situation du poème dans l'œuvre

L'Invitation au voyage, poème extrait de la section *Spleen
et Idéal,* s'inscrit dans la partie consacrée à l'Idéal. Celui-
ci prend le double visage de l'amour absolu et de la fuite
vers un ailleurs. Ce texte appartient plus précisément au
cycle de Marie Daubrun. Comme dans la plupart des
poèmes de ce cycle, la jeune femme est surtout évoquée à
travers ses mystérieux yeux verts.

Étude du lexique

L'essentiel du vocabulaire porte sur la description du pays
idéal. Elle ne se fera qu'après avoir établi la correspon-
dance entre la femme et le paysage :
  « Mon enfant, ma sœur, (v. 1)
  Songe à la douceur (v. 2)
  D'aller là-bas vivre ensemble ! (v. 3)
  (...) *Au pays qui te ressemble !* » (v. 6)
La réalité s'appréhende à partir des sens. Deux d'entre
eux sont en fait sollicités : l'odorat et la vue.

On retrouve, bien sûr, les sensations olfactives à forte coloration exotique, retenues pour leur grand pouvoir de suggestion :

« Les plus rares fleurs (v. 18)

Mêlant leurs *odeurs* (v. 19)

Aux vagues *senteurs* de l'ambre. » (v. 20)

Propices à la rêverie, elles permettent d'évoquer cet ailleurs auquel aspire Baudelaire.

Mais *L'Invitation au voyage* est avant tout un poème engendré et structuré par la vue. Le regard de Marie Daubrun, dont l'éclat est identique à celui des «ciels brouillés», provoque la rêverie du poète et entraîne la vision qui s'épanouit définitivement dans la troisième strophe : « *Vois* sur ces canaux. »

Notons, de plus, que ce poème est conçu comme un tableau. On remarque en effet :

• la composition du poème en triptyque (il s'agit d'un tableau en trois volets) : la première strophe pose l'analogie femme-paysage ; la seconde évoque un intérieur hollandais ; la troisième décrit la ville ;

• un terme de peinture, le mot «ciels», qui, employé ainsi au pluriel, désigne la partie d'un tableau évoquant le ciel (on parle des ciels d'un peintre) ;

• le jeu de miroirs caractéristique de la peinture hollandaise[1], dans l'allusion aux «miroirs profonds» (v. 22) ;

• un champ lexical[2] de la couleur et de la lumière («brillant», v. 12, «luisants», v. 15, «soleils couchants», v. 35, «hyacinthe et or», v. 38, «chaude lumière», v. 40).

A ce vocabulaire concret répond un vocabulaire abstrait concentré dans le refrain :

« Là, tout n'est qu'ordre et beauté,

Luxe, calme et volupté. »

Les substantifs du refrain sont autant de mots clés de l'art de vivre et de l'esthétique du poète. Le bonheur baudelairien repose sur une vie sensuelle riche et intense, comme

---

1. On songe surtout à Vermeer, peintre hollandais du 17ᵉ siècle dont l'œuvre comprend essentiellement des scènes d'intérieur et des paysages qui témoignent de son goût pour les jeux de lumière et les harmonies subtiles des couleurs.
2. C'est-à-dire un ensemble de mots ayant trait à une même réalité.

le montrent les notions de « luxe » et de « volupté » ; mais cette existence est aussi maîtrisée, le calme sait y régner. L'« ordre » et la « beauté » mêlent à un idéal existentiel une exigence esthétique de rigueur et de discipline formelles jamais démentie par l'auteur.

L'étude des verbes est aussi révélatrice que celle des substantifs. Le verbe « songe » (v. 2), verbe moteur du texte, témoigne de la prééminence de l'imaginaire dans cette *Invitation au voyage*. Elle est encore sensible dans le jeu des modes et des temps. L'impératif (« songe »), comme le conditionnel (« décoreraient », v. 17, « parlerait », v. 24), font allusion à des actions possibles, certes, mais encore irréalisées.

Pourtant le pouvoir de l'imaginaire s'impose dans la troisième strophe : on passe de « songe » à « vois » et le présent de l'indicatif (« viennent », « revêtent ») succède au conditionnel.

Étude des thèmes

● *L'évasion par la correspondance femme-paysage*

L'évasion repose surtout sur la correspondance femme-paysage. Le jeu des analogies semble infini : Baudelaire propose à Marie Daubrun de se rendre dans le pays qui lui ressemble, la Hollande[1]. Ce pays évoque à son tour, en raison de son actif négoce avec l'Asie et diverses colonies, l'Orient et plus précisément « la splendeur orientale » (v. 23).

L'équivalence entre les « yeux brillant à travers leurs larmes » (v. 11-12) et « les soleils mouillés de ces ciels brouillés » (v. 7-8) est parfaitement propice au voyage imaginaire ; en effet, l'éclat voilé du regard et du ciel sug-

---

1. Dans le petit poème en prose intitulé lui aussi *L'Invitation au voyage*, Baudelaire fait explicitement allusion à la Hollande en nommant la monnaie du pays : le florin.

gère un mystère à percer, un au-delà dissimulé derrière le brouillard et les larmes :

« Les soleils mouillés (v. 7)
De ces ciels brouillés (v. 8)
Pour mon esprit ont les charmes (v. 9)
Si mystérieux (v. 10)
De tes traîtres yeux, (v. 11)
Brillant à travers leurs larmes. » (v. 12)

Ce mystère est ambigu. L'adjectif « traîtres » trahit la dualité de la femme. N'oublions pas qu'elle est pour Baudelaire une créature maléfique et la cause du péché originel[1]. Elle est à la fois instrument de perdition et de volupté.

Pourtant elle est surtout considérée ici comme une figure de la douceur qui émane de tout le poème (« *douceur* d'aller là-bas vivre ensemble », v. 2-3 ; « Tout y parlerait (...) sa *douce* langue natale », v. 24-26). Marie Daubrun suscite de telles impressions parce qu'elle représente le visage tendre de l'amour : c'est la « sœur » qui permet la fusion des amants réunis « ensemble » (v. 3).

● *L'évocation d'un paradis originel*

Par une allusion à la « langue natale » (v. 26), Baudelaire fait référence aux origines[2] et réaffirme ainsi sa conception du paradis, celle d'un paradis antérieur à la faute originelle. Celui-ci ne peut être qu'un paradis perdu, un « jadis » déjà évoqué dans plusieurs poèmes (*J'aime le souvenir de ces époques nues, La vie antérieure*).

A défaut d'un retour en arrière, il faudra se contenter d'un déplacement dans l'espace. L'ailleurs va donc se substituer à l'autrefois. Il est évoqué dès le vers 3 : « Songe à la douceur d'aller *là-bas* vivre ensemble » (v. 2 - 3). L'imprécision de la locution adverbiale est significative : « là-bas » ne représente le lieu idéal que parce qu'il s'oppose à « ici », c'est-à-dire à la réalité présente.

Cet ailleurs prend la coloration exotique chère à Baude-

---

1. Le premier homme, Adam, fut chassé du paradis parce que la femme, Ève, fut tentée par le serpent.
2. Au paradis, à l'Éden biblique où vécurent Adam et Ève avant la faute.

laire. Les parfums qu'on y respire sont les «vagues
senteurs de l'ambre» (v. 20) et les «miroirs profonds»
sont chargés de «splendeur orientale»

● *Les composantes sensibles du bonheur baudelairien*

- *La volupté* est une constante du bonheur pour Baudelaire. Elle se manifeste par une profusion de sensations
extrêmement raffinées. Les parfums sont en effet précieux
(«les plus rares fleurs», v. 18) et les décors somptueux
(«les riches plafonds», «les miroirs profonds», v. 21, 22).
Richesse et profondeur sont pour l'auteur les deux équi-
valents sensibles de l'infini.
- Le bonheur est encore lié à une certaine *qualité de
lumière*, riche et chaude à la fois. Elle est faite ici «d'hyacinthe et d'or» (v. 38), c'est-à-dire de pierre et de métal
précieux, et possède la splendeur des «soleils couchants»
(v. 35). C'est aussi «une chaude lumière» (v. 40) qui s'oppose aux «froides ténèbres» du spleen, évoquées dans
Chant d'automne.
- *La dilatation de l'espace et du temps* en est enfin la
troisième composante. Si les poèmes du spleen sont
dominés par un fort sentiment d'emprisonnement dans
l'espace et le temps, *L'Invitation au voyage* évoque au
contraire un univers libéré de ces deux dimensions con-
traignantes. L'espace s'élargit à l'infini grâce au pouvoir
d'expansion des parfums et aux «miroirs profonds»
(v. 22). Tout semble enfin évoluer dans une sorte de hors
temps : on y aime «à loisir» (v. 4), c'est-à-dire sans nul
souci du temps. L'impression de bercement qui domine
tout le poème (cf. étude du rythme, p. 34) suggère un
temps étale proche de l'éternité.
   Il est alors possible de ressentir une impression de plénitude qui s'oppose à l'état de perpétuelle insatisfaction du
spleen. Si les vaisseaux «viennent du bout du monde»
(v. 34), «c'est pour assouvir (le) moindre désir» (v. 32-33)
de la femme aimée. L'évocation des vaisseaux en train de
«dormir» (v. 30), du «monde qui s'endort dans une
chaude lumière» (v. 39-40), confirme cette impression de
bien-être et de paix.

Curieusement, ce voyage se déroule dans un espace fermé : qu'il s'agisse de la clôture d'un regard (st. 1), de l'intérieur d'une chambre (st. 2) ou d'une ville circulaire (st. 3).

Les vaisseaux ne partent pas mais (re)« viennent du bout du monde » (v. 34) ; ils ne voyagent pas mais se contentent d'évoquer le voyage :

« Vois sur ces canaux / Dormir ces vaisseaux (v. 29, 30)

Dont *l'humeur* est *vagabonde.* » (v. 31)

On saisit alors l'essence du voyage baudelairien : être à jamais une promesse de voyage. Virtuel, il répond à tous les désirs. Actualisé, réalisé, il est toujours déception. Le port, ou son substitut le canal, en sont les deux figures privilégiées car ils ne font que l'annoncer.

Rythme et sonorités

L'Invitation au voyage est constituée de longues strophes permettant de déployer le rêve et la vision. Les vers employés sont des vers courts et impairs : l'heptasyllabe (vers de 7 syllabes) et le pentasyllabe (vers de 5 syllabes). Le vers impair, plus souple que le vers pair, rend mieux le mouvement de la rêverie. Quant à l'utilisation du mètre court, elle renforce la mélodie par un retour fréquent des mêmes sonorités. Il en résulte un effet de bercement qui suscite la rêverie et la porte.

Le refrain synthétise l'impression de bonheur et de paix émanant du poème. Elle est suggérée par la régularité du vers 13, composé d'une note initiale marquée, suivie de deux mesures identiques :

« Là, tout n'est qu'ordre et beauté »,

  1 /   3   /   3

et par le mouvement d'expansion du vers 14, s'épanouissant sur le mot « volupté » : « Luxe, calme et volupté. »

                      1   1 / 4

L'harmonie du poème est enfin créée par un subtil jeu d'assonances mêlant un thème majeur, le son « an », et un thème mineur en «eu» («luisants», «les ans», «chambre», «mêlant», «senteurs», «ambre», «splendeur orientale», «langue», «meubles», «fleurs», «odeurs»).

PLAN POUR UN COMMENTAIRE COMPOSÉ

1. L'Invitation au voyage : la magie d'un lieu

a) Un lieu-miroir : étude de la correspondance femme-paysage (cf. thème : *l'évasion par la correspondance femme-paysage,* p. 31).

b) Un lieu idéal parce qu'imaginaire :
- il est engendré par le rêve (cf. étude du vocabulaire, des verbes) ;
- c'est un lieu qui ne fait qu'annoncer le voyage (cf. thème : *un voyage imaginaire et paradoxal,* p. 34).

2. Le paradis baudelairien

a) Un temps qui échappe au présent :
- un jadis (cf. thème : *l'évocation d'un paradis originel,* p. 32) ;
- un hors temps (cf. thème : *les composantes du bonheur baudelairien, la dilatation de l'espace et du temps,* p. 33).

b) Un ailleurs : là-bas ≠ ici ; la tentation exotique (cf. thème : *l'évocation d'un paradis originel,* p. 32).

c) Un univers qui concilie les contraires :
- le clos et l'ouvert : la chambre et l'infini (cf. thème : *un voyage imaginaire et paradoxal,* p. 34) ;
- l'immobilité et le mouvement (cf. thème : *un voyage imaginaire et paradoxal,* p. 34).

3. Les composantes sensibles du bonheur baudelairien

a) La richesse des sensations : luxe et volupté (p. 30, 33).

b) Une certaine qualité de lumière ; un éloge de la vie bercée.

c) Une métamorphose de l'expérience vécue par l'art : L'existence n'est qu'ordre et beauté (cf. étude du vocabulaire, des substantifs, p. 30, 31) ;
- le poème se présente comme un tableau parfaitement composé (cf. vocabulaire de la peinture, p. 30) ;
- importance du canevas musical (cf. étude du rythme et des sonorités, p. 34).

5 | Le vin des chiffonniers

Souvent, à la clarté rouge d'un réverbère
Dont le vent bat la flamme et tourmente le verre,
Au cœur d'un vieux faubourg, labyrinthe fangeux
Où l'humanité grouille en ferments orageux,

5 On voit un chiffonnier qui vient, hochant la tête,
Butant, et se cognant aux murs comme un poète,
Et, sans prendre souci des mouchards, ses sujets,
Épanche tout son cœur en glorieux projets.

Il prête des serments, dicte des lois sublimes,
10 Terrasse les méchants, relève les victimes,
Et sous le firmament comme un dais suspendu
S'enivre des splendeurs de sa propre vertu.

Oui, ces gens harcelés de chagrins de ménage,
Moulus par le travail et tourmentés par l'âge,
15 Éreintés et pliant sous un tas de débris,
Vomissement confus de l'énorme Paris,

Reviennent, parfumés d'une odeur de futailles,
Suivis de compagnons, blanchis dans les batailles,
Dont la moustache pend comme les vieux drapeaux.
20 Les bannières, les fleurs et les arcs triomphaux

Se dressent devant eux, solennelle magie !
Et dans l'étourdissante et lumineuse orgie
Des clairons, du soleil, des cris et du tambour,
Ils apportent la gloire au peuple ivre d'amour !

25 C'est ainsi qu'à travers l'Humanité frivole
Le vin roule de l'or, éblouissant Pactole ;
Par le gosier de l'homme il chante ses exploits
Et règne par ses dons ainsi que les vrais rois.

Pour noyer la rancœur et bercer l'indolence
30 De tous ces vieux maudits qui meurent en silence,
Dieu, touché de remords, avait fait le sommeil ;
L'Homme ajouta le Vin, fils sacré du Soleil !

EXPLICATION DE TEXTE

Introduction

Le titre nous indique les deux thèmes constamment mêlés
dans *Le vin des chiffonniers :* le vin, bien sûr, et les pauvres pour qui il est la seule consolation. Mais la toile de
fond du poème, la cité grouillante et monstrueuse, nous
révèle un troisième thème indissociable des précédents : la
ville et son caractère inhumain. La ville engendre en effet
la misère et l'avilissement ; aussi n'est-il pas étonnant de
voir le cycle du vin succéder aux *Tableaux parisiens* dans
l'œuvre de Baudelaire[1].

Le sujet du poème témoigne des préoccupations sociali-
santes de Baudelaire dans les années 48-54. N'oublions
pas qu'en 1848 la seconde République[2] est proclamée et
que l'auteur fréquente à cette époque le penseur socialiste
Proudhon et le peintre réaliste Courbet. Tous ces artistes
voient dans le vin le réconfort du pauvre, de l'«homme
usé par ses travaux» (*L'âme du vin*).

Ce poème est enfin original par sa tonalité et par sa
forme. Baudelaire y mêle réalisme et lyrisme, trivialité et
grandeur épique.

Structure du poème

Dans la première strophe, Baudelaire plante le décor dans
lequel va se dérouler la scène.

---

1. Cf. ci-dessus, p. 5.
2. Elle débute le 25 février 1848 (avec la révolution de février 48) et elle prendra fin
en décembre 1851 avec le coup d'État de Louis-Napoléon Bonaparte.

Dans la seconde, il campe le personnage principal en esquissant de lui un portrait en mouvement.

La troisième strophe ne décrit plus ses gestes mais transcrit son discours : le chiffonnier soliloque sous le firmament.

La quatrième strophe nous révèle le caractère exemplaire du personnage qui représente en fait tous les pauvres («Oui, ces gens...») vivant dans la capitale.

La cinquième strophe est construite de façon antithétique : dans les trois premiers vers, la troupe des chiffonniers ivres est présentée comme une armée en déroute ; puis soudain, sous l'effet de l'alcool, s'opère une métamorphose : le tableau d'une défaite se change en une vision triomphale qui éclate dans la strophe suivante (strophe 6).

Les deux dernières strophes chantent la louange du vin : la strophe 7 s'avère un véritable hymne au vin et la huitième strophe le présente comme le dieu qui console les hommes.

Explication suivie

Les quatre premiers vers décrivent le cadre où va se dérouler l'entrée en scène du chiffonnier.

Le poème commence comme un récit : l'attaque est marquée par une indication temporelle, bien isolée à l'initiale : «Souvent».

L'accent est mis sur l'éclairage du lieu : éclairage dramatique s'il en est, puisqu'il s'agit de «la clarté *rouge* d'un réverbère». L'allusion au réverbère localise encore l'action : il s'agit d'une scène de rue. La dramatisation est poursuivie au vers suivant (v. 2) par l'évocation du «vent (qui) bat la flamme» et par la force expressive du verbe «tourmente» qu'il faut prendre au sens propre d'agiter mais aussi au sens figuré.

Au 3e vers, le cadre est plus circonstancié : on sait que l'action se déroule «au cœur d'un vieux faubourg», c'est-à-dire à la périphérie des villes, là où s'entasse le peuple misérable. L'épithète « vieux » souligne l'aspect délabré du lieu. Cette impression est confirmée par les termes péjoratifs qui suivent. L'apposition « labyrinthe fangeux » présente ce faubourg comme un dédale où l'on se perd tant physiquement que moralement. L'adjectif « fangeux » désigne aussi bien la boue d'un quartier insalubre que l'abjection dans laquelle l'homme des villes est plongé. On sait que chez Baudelaire la ville est souvent synonyme de corruption.

Le verbe « grouille(r) » (v. 4) évoque bien la vie fourmillante des faubourgs, une existence confuse et souterraine où se fomente toujours quelque révolte (« ferments orageux », v. 4). Le lexique plus propre à désigner une microvie végétale ou animale (« grouille », « ferments ») semble ôter à l'existence humaine tout caractère spécifique.

L'entrée en scène du chiffonnier n'intervient qu'au 5e vers. Elle est mise en valeur par un procédé d'attente - l'adverbe « souvent » (v. 1) appelait immédiatement le verbe « on voit » qui n'apparaît qu'au vers 5.

Suit un portrait en mouvement du personnage :

« On voit un chiffonnier qui vient, hochant la tête,
Butant, et se cognant aux murs comme un poète. »

(v. 5-6)

Tous les verbes (« hochant la tête », « butant », « se cognant ») rendent bien l'état d'agitation et de confusion du clochard. Sa démarche heurtée est traduite par le rythme saccadé des vers 5 et 6. Cette déambulation chaotique revêt en fait une signification symbolique. Les « murs » auxquels se heurte le clochard représentent la prison dans laquelle notre condition nous enferme. La comparaison « comme un poète » montre la valeur exemplaire du personnage. Le chiffonnier comme l'albatros (autre figure du poète) est « exilé sur le sol » (*L'Albatros*.)

Les vers 7 à 12 résument les pensées du chiffonnier qui témoignent toutes d'un idéal de grandeur et de justice[1].

---

1. La longueur du poème nous oblige ici à synthétiser l'explication.

Dans la quatrième strophe, la scène est maintenant commentée. L'accent est mis sur sa portée générale : on passe du singulier («un chiffonnier») à l'ensemble des pauvres («Oui, ces gens») dont Baudelaire fait un noir tableau. Ils sont accablés par toutes sortes de malheurs : personnels («chagrins de ménage»), professionnels («moulus par le travail»), physiques et psychologiques («tourmentés par l'âge»). Les participes sont choisis pour leur forte expressivité («harcelés», «moulus») ; l'accumulation des souffrances est rendue par la syntaxe énumérative à rythme, ternaire d'abord : «harcelés... moulus... et tourmentés», puis binaire : «éreintés et pliant».

Le substantif «vomissement», placé au début du vers 16, assimile avec violence les miséreux à des détritus rejetés par la capitale. Enfin l'épithète «énorme» insiste sur l'aspect monstrueux de Paris.

Dans la 5e strophe, on assiste au retour des chiffonniers grisés par le vin. Le vocabulaire («compagnons», «batailles», «vieux drapeaux») évoque la retraite d'une armée en déroute. Les chiffonniers sont comparés à de vieux soldats

[«blanchis dans les batailles,
Dont la moustache pend comme les vieux drapeaux».
(v. 18-19)

Mais le vers 20 offre un brutal contraste. A la débâcle succède une vision éclatante, symbolisée par «les bannières, les fleurs et les arcs triomphaux». Au motif de la chute esquissé dans les vers précédents («pliant», v. 15, «pend», v. 19) se substitue l'image des étendards qui «se dressent» (v. 21). Le verbe «se dresser» est de plus bien mis en valeur par un enjambement hardi, puisque celui-ci ne s'effectue pas de vers à vers mais de strophe à strophe.

La 6e strophe nous propose une vision magnifiée des chiffonniers grâce à la perception transfiguratrice de l'art. Le commentaire de l'auteur («solennelle magie») souligne la métamorphose opérée par le vin et la magnificence du spectacle.

La dimension esthétique du cortège se manifeste par une débauche d'impressions suggérée par le mot «orgie» (au sens d'excès). Le tumulte et le désordre de la scène sont rendus par la confusion des sensations olfactives («étourdissante») et visuelles («lumineuse»). On voit en effet se mêler aux cris et au tintamarre de la musique militaire l'éclat du soleil :

«Et dans l'étourdissante et lumineuse orgie

Des clairons, du soleil, des cris et du tambour.»

La marche glorieuse est rendue sensible par l'assonance de voyelles éclatantes : «a», «an», «oi», «o» («m*a*gie», «d*a*ns l'étourdiss*a*nte... *o*rgie», «t*a*mbour», «gl*oi*re», «*a*mour») et l'acuité du son «i» («étourd*i*ssante», «org*i*e», «cr*i*s», «*i*vre»).

Le vers 24 dégage le sens de cette manifestation :

«Ils apportent la gloire au peuple ivre d'amour!»

Le lien entre le peuple et le vin est ici manifeste. C'est par le vin que le peuple peut retrouver grandeur et fraternité.

La strophe suivante (st. 7) s'impose comme un véritable hymne au vin. Son pouvoir est célébré sur un mode épique. On retrouve le lexique glorieux de l'épopée («chante», exploits»), l'apposition, fréquente chez Homère, d'une épithète au nom propre («éblouissant Pactole»). L'allusion à la rivière d'une province grecque, le Pactole, rappelle le climat merveilleux de l'univers homérique, car elle avait pour réputation de rouler de l'or :

«Le vin roule de l'or, éblouissant Pactole.» (v. 26)

On atteint enfin le degré d'universalisation propre à l'épopée par la modification de la typographie du mot «humanité» : la majuscule à valeur généralisante («*H*umanité», v. 25) remplace la minuscule («humanité», v. 4).

La toute-puissance du vin éclate au vers 28 :

«Et règne par ses dons ainsi que les vrais rois»,

et se voit renforcée par la rime «exploits»/«rois».

Au début de la dernière strophe, le vin est célébré, dans la pure tradition socialiste de l'époque, comme le consolateur du pauvre : «Pour noyer la rancœur...» L'allusion aux «vieux maudits qui meurent en silence» renvoie à tous les parias de la société qui n'ont jamais pu faire entendre leur voix.

Dans un parallèle hardi, le dernier distique[1] consacre la supériorité de l'Homme sur Dieu :

« Dieu, touché de remords, avait fait le sommeil ;

L'Homme ajouta le Vin, fils sacré du Soleil ! » (v. 31-32)
Dieu est coupable de ne pas avoir assuré le bonheur de sa créature, tandis que l'homme a eu l'idée de génie de créer le vin. Le poème se clôt enfin sur l'image du Vin-Soleil. On assiste ici à un culte païen où les figures d'Apollon - dieu du soleil - et de Dionysos - dieu du vin - semblent se mêler.

Conclusion

Ce poème a pour principal intérêt de nous révéler un aspect original de la poésie et de la sensibilité baudelairienne.

Sur le plan poétique, nous ne retrouvons pas de façon continue les subtiles recherches musicales, la puissance évocatoire de *L'Invitation au voyage* ou de *Chant d'automne* (peut-être parce que *Le vin des chiffonniers* a été écrit bien avant ces deux poèmes). Ce poème présente un double aspect : réaliste, par la violence des scènes qui sont dépeintes et des mots employés ; parnassien, par le goût des sonorités éclatantes.

Mais la description réaliste cède vite la place à une vision hallucinatoire provoquée par le double pouvoir transfigurateur de l'ivresse (point de vue des clochards) et de l'art (point de vue de l'auteur).

Aussi ce poème reprend un thème essentiel pour Baudelaire : la capacité de l'art à sublimer la réalité la plus sordide.

La personnalité du poète nous apparaît sous un jour nouveau : l'égotisme[2] de l'auteur s'efface ici au profit d'une aptitude profonde à la pitié et à la charité ; elle témoigne d'un sens aigu de la solidarité pouvant unir tous les exclus de la société, sans cesse rencontrés dans les *Tableaux parisiens* ou les *Petits poèmes en prose*.

1. Groupe de deux vers dont l'énoncé forme une unité.
2. Égotisme : disposition à parler surtout de soi.

6 | L'Horloge

Horloge ! dieu sinistre, effrayant, impassible,
Dont le doigt nous menace et nous dit : « *Souviens-toi !*
Les vibrantes Douleurs dans ton cœur plein d'effroi
Se planteront bientôt comme dans une cible ;

5 Le Plaisir vaporeux fuira vers l'horizon
Ainsi qu'une sylphide au fond de la coulisse ;
Chaque instant te dévore un morceau du délice
A chaque homme accordé pour toute sa saison.

Trois mille six cents fois par heure, la Seconde
10 Chuchote : *Souviens-toi !* — Rapide, avec sa voix
D'insecte, Maintenant dit : Je suis Autrefois,
Et j'ai pompé ta vie avec ma trompe immonde !

Remember ! Souviens-toi ! prodigue ! *Esto memor !*
(Mon gosier de métal parle toutes les langues.)
15 Les minutes, mortel folâtre, sont des gangues
Qu'il ne faut pas lâcher sans en extraire l'or !

Souviens-toi que le Temps est un joueur avide
Qui gagne sans tricher, à tout coup ! c'est la loi.
Le jour décroît ; la nuit augmente ; *souviens-toi !*
20 Le gouffre a toujours soif ; la clepsydre se vide.

Tantôt sonnera l'heure où le divin Hasard,
Où l'auguste Vertu, ton épouse encor vierge,
Où le Repentir même (oh ! la dernière auberge !),
Où tout te dira : Meurs, vieux lâche ! il est trop tard ! »

Situation du texte

L'Horloge, dernier poème de la section *Spleen et Idéal*, clôt la longue série de poèmes consacrés au temps : *L'Ennemi, Chant d'automne, Spleen, Le goût du néant*. Il marque l'aboutissement d'un parcours qui sanctionne l'échec de l'idéal et la victoire du spleen. *L'Horloge* reflète enfin l'état moral de Baudelaire en 1861 : ce dernier, désespéré, ne voit d'issue que dans la mort et pense à se suicider.

Étude du lexique

● *Le réseau lexical du temps*

L'essentiel du vocabulaire est axé sur le temps. Dès le premier vers, on le trouve représenté par un symbole évident : l'horloge. Il est ensuite fait allusion aux différentes unités de temps : l'«instant» (v. 7), «la Seconde» (v. 9), «les minutes» (v. 15) ; puis «le jour» et «la nuit» (v. 19) ; et enfin la «saison» (v. 8).

On note aussi la fréquence des adverbes de temps :
- les uns expriment l'imminence du moment fatal :
  «Les vibrantes Douleurs (...) (v. 3)
  Se planteront *bientôt* comme dans une cible.» (v. 4)
  «*Tantôt* sonnera l'heure (...)» (v. 21) («tantôt» ayant ici le sens de «bientôt») ;
- les autres marquent la fin d'un sursis : «(...) il est *trop tard* !» (v. 24) ;
- certains enfin enregistrent la confrontation entre hier et aujourd'hui : «(...) Maintenant dit : Je suis Autrefois» (v. 11). «Autrefois», en renvoyant à un passé déjà lointain, souligne la fugacité de l'instant présent.

● *Un vocabulaire abstrait*

Curieusement, ce poème philosophique comporte peu de mots abstraits. C'est que Baudelaire cherche à nous communiquer sa propre expérience du temps en représentant celui-ci concrètement (cf. ci-dessous l'étude des images).

On trouve pourtant un vocabulaire abstrait, d'ordre psychologique et moral, présenté d'une manière antithétique. Aux « Douleurs » (v. 3), s'oppose le « Plaisir » (v. 5) ; à la « Vertu » (v. 22), le « Repentir » (v. 23), c'est-à-dire une faute préalable.

Mais toutes ces notions perdent leur caractère abstrait en étant personnifiées (cf. piste suivante sur les figures de style). Enfin, un vocabulaire propre à la tragédie classique, particulièrement perceptible dans une série d'épithètes traditionnelles, dites épithètes de nature[1] : « dieu sinistre » (v. 1), « divin Hasard » (v. 21), « auguste Vertu » (v. 22), confère au poème la solennité et la puissance dramatique d'une tragédie.

- **●** *Le vocabulaire concret*

Le vocabulaire concret marque un changement de ton. Imagé et très familier, il contraste fortement avec le lexique précédemment étudié et évoque généralement des actions prosaïques comme l'acte de « dévorer » (v. 7) ou de « pomper (la) vie avec (une) trompe immonde » (v. 12).

- **●** *Les registres de langue*

Baudelaire se plaît à mêler langage soutenu et langage familier afin de souligner le caractère à la fois tragique et dérisoire de l'existence. Ainsi l'apostrophe du dernier vers : « Meurs, vieux lâche ! » marque une rupture ironique dans les registres de langue et transforme la tragédie en une véritable comédie.

Les figures stylistiques

On distingue essentiellement deux figures : la personnification et la prosopopée.

---

1. On appelle ainsi les épithètes qui qualifient traditionnellement un nom et qui l'accompagnent toujours ; ex. : roi tout-puissant.

- *La personnification*

Elle assimile des notions abstraites à des êtres humains, comme le montre d'ailleurs la présence de la majuscule : « Plaisir » (v. 5), (v. aussi vers 9, 22, 23). « Le Plaisir (fuit) ... ainsi qu'une sylphide »[1] (v. 5-6) ; « la Seconde *chuchote* » comme une personne (v. 9-10) ; » le Temps est un joueur avide » (v. 17) ; « l'auguste vertu », l'« épouse encor, vierge » du « divin Hasard » (v. 21-22).

La personnification possède une double fonction : elle donne vie aux abstractions et parvient ainsi à rendre l'idée d'un conflit dramatique entre deux ennemis irréconciliables : l'homme et le temps.

- *La prosopopée*

C'est un procédé par lequel on fait parler ou agir un mort, un animal ou une chose personnifiée. Ici, l'Horloge s'adresse à l'homme à partir du vers 2 jusqu'à la fin :

« Horloge ! dieu sinistre, effrayant, impassible, (v. 1)
   Dont le doigt nous menace et *nous dit* : « *Souviens-
                                              [toi !* » (v. 2)

En donnant la parole au temps, la prosopopée interpelle plus sûrement le lecteur que ne le ferait un discours philosophique.

Étude des thèmes

- *La fuite du temps*

Elle est représentée par
- des impressions sensibles : le mouvement des aiguilles (cf. étude des images) et le tic-tac de l'horloge : « La Seconde chuchote » ;
- le symbole de la clepsydre : comme le sablier, elle mesure l'écoulement du temps par un système proportionnel de plein et de vide : « La clepsydre se vide » (v. 20) ;

---

1. Sylphide : génie aérien, féminin, plein de grâce.

- l'évocation d'une existence rongée par chaque moment qui passe (v. 7-8) :

« Chaque instant te dévore un morceau du délice
A chaque homme accordé pour toute sa saison. »

- ● *La lutte de l'homme contre le temps*

- Le temps est puissant comme un dieu : « dieu sinistre » (v. 1) ; les attributs de sa puissance sont « le doigt (qui) menace » (v. 2) et « la loi » (v. 18). Il provoque alors l'épouvante de l'homme : l'Horloge est un « dieu *effrayant* » (v. 1) et le cœur de l'homme « plein d'effroi » (v. 3) ;
- son écoulement est marqué du sceau de la fatalité : l'adjectif « sinistre » (v. 1) annonce un funeste présage ; l'échéance est déjà fixée : « Tantôt sonnera l'heure » (v. 21) ; enfin la diminution du sursis résonne comme un glas : « *Souviens-toi* » (v. 17). Le dénouement attendu intervient au dernier vers : « Meurs... Il est trop tard ! » ;
- sa progression est inexorable : elle obéit à une loi mathématique fixée une fois pour toutes : « Trois mille six cents fois par heure, la Seconde chuchote » (v. 9 - 10) ; la référence à l'« insecte » (v. 11), connu pour son activité sans relâche, traduit cette avancée constante du temps ;
- il est toujours vainqueur : le temps « gagne à tout coup » (v. 18).

L'accélération du temps provoque enfin un effet de dramatisation. Il s'exprime d'une façon précipitée, « rapide, avec sa voix d'insecte » (v. 10 - 11) ; le leitmotiv : « Souviens-toi » revient de plus en plus fréquemment.

Étude des images

On remarque :

- ● *Deux images désignant les aiguilles de l'horloge :*

« le doigt » (v. 2), « les vibrantes Douleurs » (v. 3) :
- « *le doigt* » : l'analogie entre le doigt et l'aiguille est d'ordre concret (même forme effilée) et d'ordre abstrait (tous deux représentent une menace : le temps et Dieu) ;

- «*les vibrantes Douleurs*» : les aiguilles sont d'abord assimilées à des flèches qui «se planteront bientôt comme dans une cible» (v. 4) ; la substitution de l'effet «les Douleurs» à la cause de cette souffrance - en réalité, les vibrantes aiguilles - rend encore plus sensible la blessure provoquée par le temps.

• *L'image fondamentale de l'engloutissement*

La figure de l'ogre se profile dans le texte avec le verbe «dévore(r)» (v. 7). Celle du vampire, toujours insatiable, transparaît dans le verbe «pompe(r)» («Et j'ai pompé ta vie avec ma trompe immonde», v. 12) et le mot «soif» («Le gouffre a toujours soif», v. 20). La crainte de l'engloutissement se révèle enfin dans l'image du «gouffre» (v. 20). Baudelaire parvient à rendre l'angoisse suscitée par le temps en fusionnant les images de l'ogre, du vampire et de l'abîme. On ne peut mieux évoquer la peur du néant.

• *Quelques images plus ponctuelles*

- Les images de la sylphide et de la coulisse sont deux métaphores de la vanité de l'existence. La sylphide représente à un double titre le plaisir : en tant que femme mais aussi en tant qu'être aérien, car le plaisir comme l'air part en fumée : «Plaisir vaporeux» (v. 5). En évoquant la sylphide qui «fuira vers l'horizon» (v. 5), Baudelaire reprend la métaphore baroque de la fuite du temps. L'allusion à la «coulisse», partie du théâtre située derrière la scène, nous révèle l'envers du décor : l'homme, un moment sur la scène, joue la comédie de la vie, puis retourne très vite à son véritable état : l'obscurité de la coulisse, c'est-à-dire les ténèbres, la mort.
- L'image des gangues, enveloppes qui entourent un minerai, une pierre précieuse, insiste sur le prix du temps que l'homme, enclin au divertissement, semble ignorer :
    «Les minutes, mortel folâtre, sont des gangues
    Qu'il ne faut pas lâcher sans en extraire l'or !»
    (v. 15-16)

Rythme et sonorités

- *Principaux effets rythmiques*

- *L'effet invocatoire :* le poème commence par un vers d'invocation dans lequel l'horloge est brutalement apostrophée. Cette attaque très forte est marquée par un cri initial : « Horloge ».
- *L'effet incantatoire :* la répétition lancinante « souviens-toi ! » (v. 2, 10, 13, 17, 19) résonne comme une parole magique propre à susciter l'attention et l'inquiétude du poète.

Les ruptures sont toujours fortement suggestives. Le rythme ternaire du dernier vers :

« Où tout te dira : Meurs, vieux lâche ! il est trop tard ! »
     5   /   3   /   4

contraste avec le rythme binaire, parfaitement régulier, des autres alexandrins. Il marque un changement de ton très net : on passe de la solennité grandiloquente et parodique (v. 1-3) à la levée des masques et au prosaïsme.

On remarque deux effets notables dans le jeu des sonorités :
a) le renforcement de la magie incantatoire par l'emploi de vocables empruntés à différentes langues (v. 13) ;
b) le jeu d'harmonie imitative du vers 12 :

« Et j'ai *p*om*p*é *t*a vie avec ma *t*rom*p*e immon*d*e ! »

Les consonnes brutales (« p », « t » et « d ») rendent encore plus sensible la violence de l'acte. De plus, l'équivalence des sons renforce l'équivalence du sens entre les mots suivants : « *p*om*p*é », « *t*rom*p*e », « immon*d*e ».

Portée du poème

Ce poème possède une portée exemplaire : *l'Horloge* ne s'adresse pas seulement au poète mais à tous les hommes. On remarque en effet :
- le « nous » d'inclusion : au v. 2 (« *nous* menace ») ;
- le terme générique : « mortel folâtre » (v. 15) ;
- l'universalité du langage (v. 13-14) :
   « *Remember ! Souviens-toi ! prodigue ! Esto memor !*
   (Mon gosier de métal parle *toutes les langues.*) »

Le temps est en fait un symbole du drame dont l'homme est le théâtre. Son existence est condamnée à la fuite des plaisirs (v. 5), à la certitude de la souffrance, et jalonnée de fautes dont il ne se repent, lâchement, que vers la fin de sa vie (cf. v. 23), lorsqu'il n'est plus d'autres refuges. Enfin, l'homme a, durant toute son existence, manqué à la vertu puisque celle-ci demeure, jusqu'au jour de sa mort, «(s)on épouse encor vierge» (v. 22).

PLAN POUR UN COMMENTAIRE COMPOSÉ

1. Une présentation dramatique du temps

a) Dramatisation par la présence obsessionnelle de la fuite du temps :
- L'impression de compte à rebours (cf. thème : *la fuite du temps,* p. 46 et lexique, p. 44) ;
- L'accélération du temps (cf. thème : *la lutte de l'homme contre le temps,* p. 47).

b) Dramatisation par les différents procédés de personnification :
- La personnification et la prosopopée (cf. étude des figures de style) ;
- Étude de quelques images, en particulier les figures animales et monstrueuses (cf. le vocabulaire concret, p. 45 et *l'image fondamentale de l'engloutissement,* p. 48).

2. Dimension tragique du combat entre l'homme et le temps et portée philosophique du poème

a) Toute-puissance du temps, faiblesse de l'homme (cf. thème : *la lutte de l'homme contre le temps,* p. 47, lexique : un vocabulaire abstrait, p. 45 et l'image des gangues, p. 48).

b) Conséquence : une leçon ambiguë, inutilité de l'avertissement (cf. thème : *la lutte de l'homme contre le temps,* p. 47).

c) Une allégorie de la condition humaine : tragique et dérision (cf. un vocabulaire abstrait, p. 44, - vocabulaire de la tragédie - (les registres de langue), quelques images plus ponctuelles, p. 48 + portée du poème).

7 | Hymne à la beauté

Viens-tu du ciel profond ou sors-tu de l'abîme,
O Beauté? ton regard, infernal et divin,
Verse confusément le bienfait et le crime,
Et l'on peut pour cela te comparer au vin.

5 Tu contiens dans ton œil le couchant et l'aurore;
Tu répands des parfums comme un soir orageux;
Tes baisers son un philtre et ta bouche une amphore
Qui font le héros lâche et l'enfant courageux.

Sors-tu du gouffre noir ou descends-tu des astres?
10 Le Destin charmé suit tes jupons comme un chien;
Tu sèmes au hasard la joie et les désastres,
Et tu gouvernes tout et ne réponds de rien.

Tu marches sur des morts, Beauté, dont tu te moques;
De tes bijoux l'Horreur n'est pas le moins charmant,
15 Et le Meurtre, parmi tes plus chères breloques,
Sur ton ventre orgueilleux danse amoureusement.

L'éphémère ébloui vole vers toi, chandelle,
Crépite, flambe et dit: Bénissons ce flambeau!
L'amoureux pantelant incliné sur sa belle
20 A l'air d'un moribond caressant son tombeau.

Que tu viennes du ciel ou de l'enfer, qu'importe,
O Beauté! monstre énorme, effrayant, ingénu!
Si ton œil, ton souris, ton pied, m'ouvrent la porte
D'un Infini que j'aime et n'ai jamais connu?

25 De Satan ou de Dieu, qu'importe? Ange ou Sirène,
Qu'importe, si tu rends, - fée aux yeux de velours,
Rhythme, parfum, lueur, ô mon unique reine! -
L'univers moins hideux et les instants moins lourds?

COMMENTAIRE COMPOSÉ

L'*Hymne à la beauté* s'intègre à une série de poèmes de la section *Spleen et Idéal* où Baudelaire cherche à définir l'essence du beau et sa conception du poète et de la poésie. Dans ce texte, Baudelaire nous présente d'abord la beauté sous un visage ambigu et même contradictoire. Il montre ensuite la fascination qu'elle exerce sur lui, ce qui donne lieu à un véritable hymne à la beauté. Mais cette beauté toute-puissante est démoniaque. Aussi nous examinerons en quoi la beauté est une *Fleur du Mal*.

[*Nature et origine de la beauté*]

Baudelaire cherche d'abord à cerner l'origine de la beauté et son identité.

Elle se présente d'emblée comme un mystère qu'on ne cesse d'interroger. Dès le premier vers, l'auteur demande :
« Viens-tu du ciel profond ou sors-tu de l'abîme ? »
Cette question revêt un caractère obsessionnel. On la retrouve posée en des termes presque identiques au vers 9 :
« Sors-tu du gouffre noir ou descends-tu des astres ? »
On remarque que la beauté semble presque toujours émerger d'une profondeur (« ciel profond », « abîme », « gouffre noir »). L'allusion à une profondeur ténébreuse souligne son origine obscure.

En fait, son origine oscille continuellement entre le bien et le mal. Une série d'images représentent cet antago-nisme : l'opposition haut/bas (« ciel profond »/« abîme », v. 1), ténèbres/lumière (« gouffre noir »/« astres », v. 9), « ciel »/« enfer » (v. 21), « Dieu »/« Satan » (v. 25).

Baudelaire définit le beau de façon paradoxale. Une série d'alliances de mots[1] prouve en effet la nature contra-dictoire de la beauté. Son regard est « infernal *et* divin » (v. 2) ; elle verse confusément « le bienfait *et* le crime » (v. 3) ; elle annonce le jour aussi bien que la nuit (« Tu contiens... le couchant *et* l'aurore », v. 5). La conjonction de coordi-

---

1. Rapprochement de mots ou de notions considérés comme contradictoires.

nation « et » souligne l'indissociabilité du bien et du mal ; leur répartition équilibrée est traduite par la parfaite symétrie des hémistiches coupés 3/3 : « infernal et divin »

$$3 \quad / \quad 3$$

« le bienfait et le crime ».

$$3 \qquad / \quad 3$$

Force nous est de constater que la beauté baudelairienne n'est pas seulement contradictoire. Elle marque aussi une évolution des conceptions de l'auteur. En effet, dans le poème intitulé *La Beauté* (pièce bien antérieure à notre texte), Baudelaire avait de la beauté une vision très classique. Il nous la montrait immuable et éternelle « comme un rêve de pierre » (v. 1), ordonnée (« Je hais le mouvement qui déplace les lignes, » v. 7) et pure (« J'unis un cœur de neige à la blancheur des cygnes », v. 6).

L'*Hymne à la beauté* nous en propose une tout autre image. Loin d'être un principe d'ordre, elle semble ici un facteur de désordre. Elle agit « confusément » (v. 3) ; elle subvertit les valeurs traditionnelles en brouillant notre vision du fort et du faible puisqu'elle rend « le héros lâche » et « l'enfant courageux » (v. 8). Ses actes n'obéissent à aucune logique particulière, sinon à celle de son propre caprice :

« Tu sèmes *au hasard* la joie et les désastres. » (v. 11)

Le paradoxe le plus frappant est sans nul doute le rapprochement du beau et du monstrueux (v. 22) :

« O Beauté ! monstre énorme, effrayant, ingénu ! »

La modernité de Baudelaire repose sur cette alliance inhabituelle de l'horreur et de la beauté. Elle est fort bien illustrée dans le poème *Une charogne* où l'auteur évoque avec complaisance un cadavre en train de se décomposer, « une charogne infâme », « une horrible infection » qu'il qualifie pourtant de « carcasse superbe ». Le monstrueux exerce sur Baudelaire la fascination de l'extraordinaire opposé à la banalité du quotidien. L'adjectif « énorme » (« monstre énorme », v. 22) ne signifie-t-il pas dans son sens étymologique : qui est hors des normes ?

Si beauté et pureté étaient auparavant indissociables pour Baudelaire, nous verrons plus loin que le beau

s'écarte radicalement du bien et que l'esthétique se dissocie nettement de la morale.

[*Un hymne à la toute-puissance de la beauté*]

Étudions maintenant le rôle que Baudelaire attribue à la
beauté.

Elle possède un incontestable pouvoir de fascination.
Elle subjugue le destin («le Destin (est) *charmé*», v. 10).
Le mot «charme» doit être pris ici au sens fort d'envoû-
tement de même qu'au vers 14 :

«De tes bijoux l'Horreur n'est pas le moins *charmant.*»
Sa capacité de métamorphose est évoquée à plusieurs
reprises : ses baisers sont «un philtre» qui transforme le
héros (v. 7, 8); elle est tour à tour «fée» (v. 26) ou
«Sirène» (v. 25).

Baudelaire précise ensuite le rôle qu'elle joue dans son
existence (v. 23-24) :

«Si ton œil, ton souris, ton pied, m'ouvrent la porte
    D'un Infini que j'aime et n'ai jamais connu?»
La beauté, c'est-à-dire l'Art, représente pour le poète
l'évasion. Elle doit reculer les limites du quotidien, lui
donner accès à l'«infini» et lui révéler du nouveau (le
«jamais connu»). L'art a pour fonction de sublimer la
réalité, de rendre (v. 28) :

«L'univers moins hideux et les instants moins lourds.»
C'est le recours suprême pour échapper au temps («instants moins lourds», v. 28) et accéder à l'éternité.

Séduit par son pouvoir, Baudelaire va la célébrer dans
un véritable hymne d'amour. L'admiration du poète est
rendue par différents procédés : une syntaxe exclamative
(«O mon unique reine!», v. 27), le leitmotiv «O Beauté»
(v. 2, v. 22), une série d'apostrophes laudatives («Ange»,
«Sirène», «fée», «reine»).

Enfin, pour rendre plus évidente encore l'attirance
qu'elle exerce sur lui, l'auteur la représente sous les traits
d'une femme. Cette image s'impose progressivement. Au
vers 2, il est d'abord fait allusion à son «regard», puis à
son «œil» (v. 5). La «bouche» est ensuite évoquée au

vers 7 et comparée à une «amphore[1]». On trouve aussi une allusion à son «ventre» (v. 16), à son «souris» et à son «pied» (v. 23). On remarque donc que la perception de la femme est fragmentée. Mais les éléments privilégiés par Baudelaire n'ont pas été choisis au hasard. Tous («regard», «bouche», «sourire», pour le visage; «ventre», «pied», pour le corps) sont de nature érotique[2], et mettent ainsi en valeur la fascination sensuelle qu'exerce la beauté sur le poète. Notons encore que la femme sait jouer de ses charmes par maints artifices: ses «jupons» (v. 10), ses «bijoux» (v. 14). Son attrait sensuel éclate enfin dans une danse fort suggestive («Sur ton ventre orgueilleux danse amoureusement», v. 16).

[*La beauté est une fleur du mal*]

Cette célébration de la beauté ne saurait masquer son caractère satanique. La beauté, selon Baudelaire, est une *Fleur du Mal*. Cela, à plusieurs titres: parce qu'elle fait du poète son esclave et sa victime; parce qu'elle est liée à la mort; parce qu'elle entraîne enfin la damnation du poète.

Si la beauté suscite la dévotion de ceux qui l'entourent, elle provoque en même temps leur avilissement en établissant une relation de maître à esclave:

«Le Destin charmé suit tes jupons *comme un chien.*»
(v. 10)

Le poète se prosterne aux genoux de son «unique reine» (v. 27); toutes choses acceptent d'être consumées par elle:

«L'éphémère ébloui vole vers toi, chandelle,
Crépite, flambe et dit: Bénissons ce flambeau!»
(v. 17-18)

Le caractère nettement sadomasochiste[3] de ces relations se manifeste aux vers 19 et 20:

«L'amoureux pantelant incliné sur sa belle
A l'air d'un moribond caressant son tombeau.»

---

1. Il s'agit d'un réceptacle profond et précieux (la plupart du temps par son contenu) dont la forme arrondie et évasée rappelle celle du corps de la femme.
2. C'est-à-dire propices à éveiller le désir amoureux sexuel.
3. La beauté se plaît à faire souffrir; le poète aime cette souffrance.

La soumission de l'amant est suggérée par l'adjectif «incliné»; sa faiblesse et sa mort prochaine apparaissent dans l'épithète «pantelant[1]» et dans le substantif «moribond». Son masochisme nous est révélé par l'expression «caressant son tombeau», puisque le moribond semble éprouver une réelle jouissance à l'idée de sa propre mort.

La beauté est en fait profondément liée à la mort. Sa cruauté et son insensibilité sont notées à maintes reprises. Le sort des hommes lui est indifférent:

«Et tu gouvernes *tout* et ne réponds de *rien.*» (v. 12)

Son mépris de la vie humaine est rendu sensible par la mise en relation des paronymes[2] «morts» et «moques», placés à la fin de chaque hémistiche:

«Tu marches sur des *morts,* Beauté, dont tu te
[*moques.*» (v. 13)

L'alliance de la beauté et de la mort est enfin rendue par le rapprochement des mots «morts» et «Beauté» de part et d'autre de la césure (...*morts/Beauté...* v. 13).

En fait, la forte connotation érotique imprimée dans ce texte à la beauté ne pouvait que l'assimiler à la mort. L'amour, à l'instar de la mort, entraîne une perte de conscience et donc l'anéantissement même de l'individu. L'art, l'amour et la mort sont une même chose.

La beauté ne peut alors que pactiser avec les forces du mal, le meurtre surtout, qui pousse le sadisme jusqu'à la mort. Elle «verse... le crime» (v. 3); «de (s)es bijoux l'Horreur n'est pas le moins charmant» (v. 14); et «le Meurtre (est) parmi ses plus chères breloques» (v. 15).

Mais cette fascination pour l'horreur n'est pas purement sadique. Succédant à la tentation exotique qui s'avère illusoire dès lors qu'elle se réalise, l'horreur s'impose comme le seul moyen de pallier la banalité de nos destins. L'auteur affirme ainsi les vertus de la cruauté érigée en morale du fort *(Danse macabre):*

«Les charmes de l'horreur n'enivrent que les forts!»

---

1. *Pantelant* signifie qui respire à peine, convulsivement; pantelant se dit de quelqu'un qui vient d'être tué et qui palpite encore.
2. Ce sont des mots presque identiques phonétiquement.

Cette conviction est énoncée dès l'adresse *Au lecteur* qui est la première pièce des *Fleurs du Mal* (v. 25 - 28) :

« Si le viol, le poison, le poignard, l'incendie,

N'ont pas encor brodé de leurs plaisants dessins

Le canevas banal de nos piteux destins,

C'est que notre âme, hélas ! n'est pas assez hardie. »

Puisque le crime et l'atrocité sont les seuls moyens d'échapper à la médiocrité de notre condition, le poète est prêt à signer un pacte avec le diable. N'affirme-t-il pas à deux reprises (v. 21, 25, 26, 28) :

« Que tu viennes du ciel ou de l'enfer, qu'importe.

De Satan ou de Dieu, qu'importe ? Ange ou Sirène,

Qu'importe, si tu rends (...)

L'univers moins hideux et les instants moins lourds ? »

Baudelaire réitère sa profession de foi dans *Le mauvais vitrier* : « Qu'importe l'éternité de la damnation à qui a trouvé dans une seconde l'infini de la jouissance. »

Conclusion

Ce poème nous révèle d'abord une esthétique originale, non plus fondée sur le modèle traditionnel proposé par l'école parnassienne[1], mais sur des critères modernes et personnels comme le bizarre et le monstrueux. Baudelaire cherche donc à dégager la beauté de la laideur - il y parviendra dans le poème *Une charogne* - mais aussi à faire du crime une force suprême. Sur le plan esthétique comme sur le plan moral, il tente d'extraire les Fleurs du Mal. Il dissocie enfin définitivement le beau du bien.

L'*Hymne à la beauté* éclaire à la fois la personnalité de l'auteur et le caractère de son œuvre. Il met l'accent sur l'ambiguïté du tempérament baudelairien où sadisme et masochisme sont étroitement mêlés. Il dévoile enfin l'aspect satanique du recueil.

1. La beauté, pour les Parnassiens, repose essentiellement sur la perfection formelle.

8 Recueillement

Sois sage, ô ma Douleur, et tiens-toi plus tranquille.
Tu réclamais le Soir ; il descend ; le voici :
Une atmosphère obscure enveloppe la ville,
Aux uns portant la paix, aux autres le souci.

5 Pendant que des mortels la multitude vile,
Sous le fouet du Plaisir, ce bourreau sans merci,
Va cueillir des remords dans la fête servile,
Ma Douleur, donne-moi la main ; viens par ici,

Loin d'eux. Vois se pencher les défuntes Années,
10 Sur les balcons du ciel, en robes surannées ;
Surgir du fond des eaux le Regret souriant ;

Le Soleil moribond s'endormir sous une arche,
Et, comme un long linceul traînant à l'Orient,
Entends, ma chère, entends la douce Nuit qui marche.

PISTES DE LECTURE

Situation et idée directrice

Le poème *Recueillement,* écrit en 1861, reflète l'état moral
et spirituel de Baudelaire durant les années qui précèdent
sa mort en 1867. Il s'inscrit dans un ensemble de poèmes
consacrés à l'évocation du crépuscule. Ce motif, constant
à cette époque, traduit bien le déclin du poète et annonce
une mort fortement pressentie. Ce moment livre encore le
poète solitaire à sa conscience torturée par la fuite du
temps et l'obsession du mal, représenté par l'image de la
foule en quête de plaisirs sensuels. A cette vaine agitation,
Baudelaire oppose une tentative de recueillement qui res-

suscite les souvenirs et apporte ainsi l'apaisement souhaité. Il s'agit d'un poème lyrique (les sentiments intimes de l'auteur sont traduits par les images et la musique).

Étude du vocabulaire

L'évocation du crépuscule mêle vocabulaire abstrait et concret.

- On trouve un vocabulaire abstrait dans :
  - des allusions au temps (« Années », v. 9 ; « surannées », v. 10) ;
  - des notations d'ordre psychologique (« paix », v. 4 ; « Regret », v. 11 ; « souci », v. 4) et moral (« multitude vile », v. 5 ; « remords », v. 7) ;
  - des notions intermédiaires, à la fois physiques, psychologiques et morales : le « Plaisir » (v. 6), la « Douleur » (v. 1).

- Le vocabulaire concret est surtout constitué de mots renvoyant à la perception et aux sensations :
  - visuelles (« Vois », v. 9),
  - tactiles (« Une atmosphère obscure *enveloppe* la ville », v. 3),
  - auditives (« Entends », v. 14).

Le changement de perception, marqué par le passage de « vois » à « entends » (v. 14), constitue un des effets poétiques les plus sûrs de ce sonnet. On passe d'une vision féérique et fantastique de la nuit à l'évocation suggestive de sa mystérieuse présence :

« Entends, ma chère, entends la douce Nuit qui
[marche. » (v. 14)

Le poème prend toute sa dimension mystique car l'ouïe, sens de la nuit, est aussi celui de l'au-delà. L'oreille révèle ce qu'on ne peut toucher et voir.

Enfin le vocabulaire concret est fait d'images (cf. p. 63).

- Les adjectifs qualificatifs sont très nombreux dans ce texte. Souvent vagues, ils sont pourtant fort évocateurs, car l'absence de précision leur confère une signification très ample, une intense charge émotive. Voici quelques-uns de ces adjectifs d'atmosphère :

- « atmosphère obscure » (v. 3). Cette expression, pour désigner le crépuscule, semble pléonastique (c'est-à-dire une simple répétition qui n'apporte rien de nouveau). Mais un tel effet d'insistance permet de rendre compte de la présence enveloppante du crépuscule ;

- « long linceul » (v. 13). L'épithète « long » ne traduit pas tant la dimension du linceul que son lent déploiement dans le ciel (impression d'ailleurs renforcée par l'allitération en liquides :

« Et, comme un *l*ong *l*inceu*l* traînant à *l*'Orient »).

Baudelaire parvient ainsi à suggérer l'importance de ce moment car la lenteur confère toujours, pour lui, une certaine solennité au déroulement des choses.

On remarque aussi des adjectifs qualificatifs de personnification qui attribuent à une abstraction ou à une chose inanimée des qualités réservées à l'homme : « *défuntes* Années » (v. 9), « Regret *souriant* » (v. 11), « Soleil *moribond* » (v. 12). Ces qualificatifs témoignent d'une vision animiste[1] de l'univers.

On distingue enfin des épithètes à valeur morale. Elles sont révélatrices d'une conscience hantée par les notions de bien et de mal. Ainsi « la multitude vile » (v. 5) s'abandonne « dans la fête servile » (v. 7).

Étude des thèmes

• *La douleur du poète*

Elle est présentée d'une façon ambiguë, à la fois positive et négative. C'est une enfant terrible qu'il faut assagir :

« Sois sage (...) et tiens-toi plus tranquille » (v. 1)
mais aussi la compagne révérée du poète (« ma Douleur », v. 1 ; « ma chère », v. 14). La souffrance est valorisée parce qu'elle fait la grandeur de l'homme moderne, livré au tra-

---

1. C'est-à-dire une vision qui donne vie à des choses ou à des idées.

gique de l'existence. N'oublions pas que Baudelaire a sans cesse proclamé l'aristocratique beauté de la douleur.

● *La condamnation du plaisir*

A une conception idéalisée et élitiste de la douleur, est opposée une vision critique et méprisante de la foule en quête du plaisir. Toute la thématique repose en effet sur une triple confrontation : le poète / les autres ; la douleur / le plaisir ; le ciel / la ville. Dans la série négative, trois thèmes sont donc étroitement associés : la foule, la luxure et la ville (cf. dans l'étude sur les sonorités la rime « ville », v. 3, et « vile », v. 5).

Le plaisir est ici présenté comme un esclavage. L'homme lui est complètement assujetti, comme l'indique l'étymologie du mot « servile » (v. 7) (*servus* en latin signifie esclave). Le plaisir est encore assimilé à un « bourreau sans merci » (v. 6) dont l'homme est la victime. L'image du fouet (« sous le fouet du Plaisir », v. 6), symbole de souffrance, insiste sur le caractère perverti de la jouissance. Enfin, l'expression « cueillir des remords » (v. 7) illustre bien cette vision paradoxale du plaisir. Le sens positif du précepte ronsardien : « Cueillez dès aujourd'hui les roses de la vie » est entièrement détourné. Pour Baudelaire, la cité ne peut offrir que des Fleurs du Mal, c'est-à-dire des satisfactions éphémères provenant de la débauche et de la prostitution.

L'assimilation des plaisirs de la chair au mal reflète parfaitement un système de valeurs manichéen opposant deux postulations fondamentales chez l'homme : l'une vers Satan, le mal, le bas, la chair ; l'autre vers Dieu, le bien, le haut, l'esprit. Cette contradiction traduit une profonde conscience de la faute originelle et domine toute la poésie baudelairienne.

● *Le crépuscule et la nuit*

Le crépuscule est d'abord perçu négativement. De nombreuses allusions à la mort s'y rattachent. C'est le moment où « la multitude des *mortels* » essaie d'oublier sa condition dans les plaisirs. La résurgence des souvenirs rend encore plus sensible la fuite du temps («défuntes Années», v. 9; «robes *surannées*», v. 10, c'est-à-dire démodées). Le soleil qui se couche est un «Soleil moribond» (v. 12) et la nuit est comparée à un «long linceul» (v. 13).

Pourtant la nuit est progressivement investie de significations positives. Au vers 2, le soir est attendu comme une délivrance :

«Tu réclamais le *Soir*; il descend; le voici.»

La personnification du Soir semble assimiler ce dernier au Christ-Sauveur (même consonne initiale, contexte mystique du poème). Enfin la venue de la nuit - malgré les images négatives du «Soleil moribond» et du «long linceul» - semble annoncer l'aube d'un jour nouveau. Remarquons, en effet, que la nuit ne tombe pas ici à l'ouest, mais à l'orient, là où le soleil se lève. L'angoisse liée au crépuscule paraît donc avoir été conjurée par :

- le recours au fantastique

Au réel se substitue l'imaginaire, à la fuite du temps la persistance du souvenir dont l'émergence revêt ici un caractère fantastique. Le souvenir prend la forme d'une apparition soudaine, quasi fantomatique :

«(...) *Vois* se pencher les *défuntes* Années, (v. 9)

Sur les balcons du ciel, en robes surannées; (v. 10)

Surgir du fond des eaux le Regret souriant» (v. 11)

Notons que Baudelaire a transformé la vue qu'il a de sa fenêtre en vision onirique (qui semble sortie d'un rêve);

- une perception féminine du souvenir

La souffrance qu'aurait pu engendrer la conscience du temps irrémédiablement perdu est atténuée par une appréhension adoucie et érotisée du souvenir, car les défuntes années sont assimilées à des femmes («*robes* surannées»).

Les figures de style

- *La personnification*

a) Ses formes

L'auteur personnifie par l'emploi :
- de la majuscule (« Douleur », « Soir », « Plaisir »...)
- de certains verbes (« la douce Nuit qui *marche* », v. 14)
- de métaphores : le plaisir est un « bourreau » (v. 6)
- de l'apostrophe : « O ma Douleur » (v. 1).

b) Son rôle

Elle transforme des abstractions en personnages, véritables protagonistes d'un drame. Deux schémas dynamiques produisent cet effet de dramatisation : l'attente (la douleur attend impatiemment la venue du soir, v. 1, 2) ; la tension entre la douleur et le plaisir qui illustre le grand combat entre le bien et le mal.

- *L'alliance de mots* (ou rapprochement de mots contradictoires)

C'est une figure de la provocation. Elle met en relief le renversement des idées traditionnelles et l'originalité d'une sensibilité hantée par les contraires (cf. « le fouet du Plaisir », « la fête servile », « cueillir des remords », étudiés précédemment, p. 61).

- *La métaphore*

Elle est utilisée pour sa puissance évocatrice. Ainsi, dans l'image du fouet du plaisir, la substitution d'un mot concret (« fouet ») à un mot abstrait (*la souffrance* du plaisir, par exemple) est bien plus éloquente. L'image apporte toujours une signification supplémentaire. En renvoyant à l'animal qu'on fouette, cette image suggère la bestialité de la foule, son avilissement dans la chair et l'instinct. L'association du fouet et du bourreau (v. 6) esquisse enfin une relation sadomasochiste[1]. La métaphore est aussi une figure de métamorphose qui permet de glisser du réel à l'imaginaire (cf. l'expression ambiguë « balcons du ciel »).

1. Le bourreau éprouve un plaisir sadique à faire le mal, la victime un plaisir masochiste à souffrir.

Rimes, rythme et sonorités

Nous avons affaire à un sonnet régulier dont les rimes sont souvent riches, c'est-à-dire qu'elles ont au moins trois sons communs : « *ville* » « *vile* » « ser*vile* » ; « *Année*s » / « sur*anné*es » ; « *arche* » / « m*arche* ».
- L'impression d'apaisement produite par la tombée du soir est rendue par un rythme régulier au vers 2 :
  « Tu réclamais le Soir ;   il descend/ ; le voici. »
     6   3   3
- Reprise de la même structure rythmique et syntaxique pour faire ressortir une opposition :
  « Aux uns portant la paix, aux autres le souci. » (v. 4)

● On distingue essentiellement trois types d'effets rythmiques et phoniques dans tout le poème.

  - *L'effet incantatoire*
  La reprise de « ma Douleur » (v. 1, 8), de l'impératif « entends » répété deux fois dans le dernier vers, confère au poème un caractère incantatoire apte à envoûter la douleur et à apaiser le poète.

  - *L'effet d'insistance*
  Le retour de sons identiques accentue l'expression des sentiments. Ainsi l'allitération du vers 5 :
  « Pendant que des *mortels la mu*ltit*ude vile* »,
  renforce le mépris éprouvé pour la foule.

  - *L'effet d'harmonie imitative*
  La tombée de la nuit est suggérée par une allitération en liquides évoquant glissement et fluidité :
  « Et, comme un *l*ong *l*inceu*l* traînant à *l*'Orient. » (v. 13)

● Il y a mise en relief par la disposition des mots :

  - dans le vers.
Au vers 4, les mots qui s'opposent sont placés à la fin de chaque hémistiche (« ... paix/ ... souci »). Au vers 6, « Plaisir »/« bourreau » sont situés de part et d'autre de la césure :
  « Sous le fouet du *Plaisir*,/ *ce bourreau* sans merci. »

- d'un vers à l'autre.

On note la mise en valeur du verbe « surgir » au début du vers 11, après un effet d'attente :

« Vois (...) » (v. 9)

« *Surgir* du fond des eaux le Regret souriant. »

Au vers 9, la volonté d'isolement du poète est traduite par un rejet audacieux, puisque « loin d'eux » appartenant syntaxiquement au second quatrain est rejeté au début du premier tercet.

PLAN POUR UN COMMENTAIRE COMPOSÉ

1. L'aspect négatif du crépuscule : la foule en quête de plaisirs

a) Une vision grégaire de la multitude (cf. thème : *la condamnation du plaisir,* p. 61 et *la métaphore,* p. 63).

b) Condamnation de la recherche du plaisir (cf. thème : *la condamnation du plaisir,* p. 61 et l'alliance de mots, p. 63)

c) Portée de cette condamnation :
   - Morale ;
   - Psychologique ;
   - Association de la chair, de la ville, de la prostitution et du mal dans le système de pensée baudelairien.

2. L'aspect positif du crépuscule : le poète et sa douleur

a) Grandeur de l'homme seul avec sa souffrance :
   - Valorisation de la souffrance (cf. thème : *la douleur du poète*, p. 60).

b) Métamorphose de cette souffrance :
   - Par la résurgence des souvenirs (cf. thème : *le crépuscule et la nuit*, p. 62) ;
   - Par le fantastique qui permet d'échapper à la réalité (cf. thème : *le crépuscule et la nuit*, p. 61).

c) Effacement de la souffrance par la nuit :
Conjuration de l'angoisse
   - Par la nuit synonyme de douce mort, d'oubli, de sommeil (cf. fin du thème : *le crépuscule et la nuit*, p. 62) ;
   - Par un dépassement mystique (cf. étude du vocabulaire, p. 59 et thème : *le crépuscule et la nuit*, p. 62 - allusion au Sauveur).

---

9 | Harmonie du soir

Voici venir les temps où vibrant sur sa tige
Chaque fleur s'évapore ainsi qu'un encensoir ;
Les sons et les parfums tournent dans l'air du soir ;
Valse mélancolique et langoureux vertige !

5   Chaque fleur s'évapore ainsi qu'un encensoir ;
Le violon frémit comme un cœur qu'on afflige ;
Valse mélancolique et langoureux vertige !
Le ciel est triste et beau comme un grand reposoir.

Le violon frémit comme un cœur qu'on afflige,
10   Un cœur tendre, qui hait le néant vaste et noir !
Le ciel est triste et beau comme un grand reposoir ;
Le soleil s'est noyé dans son sang qui se fige.

Un cœur tendre, qui hait le néant vaste et noir,
Du passé lumineux recueille tout vestige !
15   Le soleil s'est noyé dans son sang qui se fige...
Ton souvenir en moi luit comme un ostensoir !

PISTES DE LECTURE

Signification du titre et structure du poème

Ce poème trouve à juste titre sa place dans la section
Spleen et Idéal car la douleur du poète se métamorphose
en une extase esthétique et mystique. Baudelaire utilise ici
une forme bien particulière : le pantoum, poème d'origine
malaise, à rimes croisées, où le second et le quatrième vers
de chaque strophe sont repris comme troisième et quatrième vers de la strophe suivante. Les rimes croisées
mêlent savamment impressions de beauté et de tristesse et

provoquent ce sentiment d'harmonie qui donne son titre au poème : *Harmonie du soir*. Le pantoum confère enfin au poème son extrême musicalité.

La reprise de vers identiques structure la progression du poème et nuance les tonalités propres à chaque strophe.

La première strophe, à partir des motifs de la fleur et de la valse, évoque l'atmosphère du soir faite d'ivresse sensuelle (« Les sons et les parfums tournent dans l'air », v. 3) et de tristesse (« valse mélancolique, v. 4).

La seconde strophe reprend aux vers 1 et 3 les vers 2 et 4 de la strophe précédente et donc les motifs de la fleur et de la valse. Mais les deux nouveaux vers (v. 6 et 8) viennent prolonger et approfondir la tonalité mélancolique de la première strophe par l'évocation du « violon (qui) frémit comme un cœur qu'on afflige » (v. 6) et du « ciel triste et beau comme un grand reposoir » (v. 8).

Dans la troisième strophe, les motifs du « violon » et du « ciel triste » sont orchestrés de façon toute différente. La tristesse se transforme en une véritable angoisse, comme le montrent la peur du « néant vaste et noir » (v. 10) et l'image dramatique du « soleil (qui) s'est noyé dans son sang qui se fige » (v. 12).

Enfin la dernière strophe vient opposer aux éléments tragiques de la strophe précédente - encore présents aux vers 13 et 15 - un contrepoint rassurant et lumineux : le souvenir (« Ton souvenir en moi lui comme un ostensoir », v. 16). Aux ténèbres de l'angoisse, à la disparition du soleil succède la présence d'une lumière intérieure (« en moi »).

Étude du lexique

On distingue trois champs lexicaux essentiels.

• *Un vocabulaire relatif aux diverses impressions sensibles :*

- olfactives : « fleur » (v. 2, 5), « encensoir » (v. 2, 5), « parfums » (v. 3) ;

- auditives : «les sons» (v. 3), «valse mélancolique» (v. 4, 7), «violon» (v. 6, 9) ;
- visuelles : notations de mouvement (balancement de la fleur (v. 1) et de l'encensoir (v. 2), tournoiement de la valse (v. 4, 7) ou de lumière (v. 10, 16).

- *Un vocabulaire affectif lié au souvenir*

L'émotion du poète naît de la confusion de deux époques et de deux lieux. Baudelaire met en surimpression la contemplation actuelle et solitaire du ciel nocturne et l'évocation d'un bal ayant eu lieu jadis. L'allusion à la «valse» (v. 4), au «langoureux vertige» (v. 4), à une femme aimée et disparue (désignée par un adjectif possessif de la deuxième personne : «ton souvenir», v. 16), ressuscite tout un univers amoureux. Le cœur, siège de la sensibilité, est nommé à quatre reprises (v. 6, 9, 10, 13) et sa vulnérabilité est soulignée par l'épithète «tendre» (v. 10 et 13).

- *On discerne enfin un vocabulaire religieux.*

On trouve plusieurs termes désignant des objets utilisés lors de l'exercice du culte catholique : l'«encensoir (v. 2, 5), le «reposoir[1]» (v. 8, 11) et l'«ostensoir[2]» (v. 16). On remarque encore l'ouverture du poème sur un tour fréquent dans la Bible : «Voici venir les temps...» Il faut aussi noter la connotation religieuse du verbe «recueillir» (v. 14).

L'étude du lexique nous a ainsi révélé une triple approche du soir. L'appréhension sensorielle trouve son prolongement dans des émotions d'ordre affectif, elles-mêmes redoublées par un état de contemplation quasi mystique. Au dernier vers, en effet, le souvenir s'apparente à une révélation qui vient éclairer l'âme du poète.

1. C'est un support en forme d'autel sur lequel on dépose le Saint-Sacrement au cours d'une procession.
2. C'est une pièce d'orfèvrerie destinée à contenir l'hostie sacrée.

Étude des thèmes

- *Les correspondances*

La réussite de ce poème repose pour une grande part sur l'impression d'unité qui s'en dégage, unité essentiellement fondée sur la poétique des correspondances (cf. p. 10). Il en existe trois sortes :

- Une correspondance entre les diverses sensations.

Le tourbillon de la valse («Les sons et les parfums tournent dans l'air du soir», v. 3) provoque un jeu d'échanges entre les diverses sensations olfactives, visuelles et auditives, un «langoureux vertige» (v. 4, 7).

- Une correspondance entre l'atmosphère du soir et l'état d'âme du poète. L'atmosphère nocturne révèle au poète ses sentiments. La valse, «mélancolique», lui fait prendre conscience de sa propre tristesse.

A son tour, l'auteur projette son angoisse et sa souffrance sur le paysage. Son malaise apparaît dans la comparaison subjective du «violon (qui) frémit comme un cœur qu'on afflige» (v. 6, 9) et dans la vision du soleil «noyé dans son sang qui se fige» (v. 12, 15) (cf. étude des images, p. 70).

- Une correspondance entre le plan terrestre et le plan céleste.

Le vocabulaire religieux fait apparaître une troisième correspondance entre le monde naturel et le monde spirituel. Chaque impression sensible (frémissement de la fleur «vibrant sur sa tige», v. 1, tremblement du violon qui «frémit», v. 6) n'est que la manifestation tangible, matérielle, du principe même de l'Être. Le poète peut ainsi saisir la mystérieuse palpitation de la vie originelle[1].

- *L'univers du spleen*

Baudelaire éprouve fréquemment un dégoût de l'existence où se mêlent l'angoisse et l'ennui : le spleen. On le retrouve

---

1. La poésie baudelairienne est mystique en ce qu'elle cherche à percer, à nommer le mystère des choses, à déceler leur vie secrète, leur existence profonde.

ici dans la peur des ténèbres et dans la hantise du vide conjuguées dans l'expression « néant vaste et noir » (v. 10). Mais le « soir », catalyseur de l'angoisse, procure aussi l'apaisement par le biais du souvenir.

• *Le rôle du souvenir*

L'attachement au souvenir se lit dans le mot « vestige » (v. 14) qui désigne une trace du passé d'autant plus précieuse qu'elle est souvent infime ; puis dans le verbe « recueillir » (v. 14) qui signifie rassembler avec un soin quasi religieux. Enfin, l'évocation de l'ostensoir (v. 16) souligne, par la référence à l'hostie, le pouvoir de résurrection du souvenir (comme le Christ, il ne meurt pas).

• *La beauté et la volupté baudelairiennes*

L'émotion suscitée par l'atmosphère du soir est complexe : souffrance et volupté sont étroitement mêlées. Le « langoureux vertige » (v. 4, 7) évoque à la fois malaise (« vertige ») et volupté (« langoureux »).

De plus, les diverses émotions esthétiques (musique du violon, contemplation du ciel) sont toujours étroitement liées à un sentiment de tristesse. L'alliance de mots « triste et beau » (v. 8) rappelle d'ailleurs la définition que Baudelaire donne de sa conception du beau dans *Fusées* : « C'est quelque chose d'ardent et de triste (...) qui fait rêver à la fois de volupté et de tristesse. »

Étude des images et des comparaisons

• *On ne distingue à proprement parler que deux images :* celle de la noyade et celle du sang qui se fige (« Le soleil s'est noyé dans son sang qui se fige... »). La première image présente la dissolution du soleil couchant comme un anéantissement. Quant à la référence au sang, elle repose sur une analogie entre la couleur du couchant et celle du sang. Mais elle révèle aussi la projection d'une

impression personnelle : celle d'un arrêt brutal du cœur ;
le sang, symbole de vie, renvoie ici à la mort.

● *Les comparaisons sont plus nombreuses* (on trouve
cinq fois « comme » dans le poème) et jouent un rôle essentiel. Relevons-les tout d'abord.

- « Chaque fleur s'évapore ainsi qu'un encensoir. »
(v. 2, 5)
- « Le violon frémit comme un cœur qu'on afflige. »
(v. 6, 9)
- « Le ciel est triste et beau comme un grand reposoir. »
(v. 8, 11)
- « Ton souvenir en moi lui comme un ostensoir. »
(v. 16)

Nous sommes immédiatement frappés par la similitude de
trois comparants (« encensoir », « reposoir », « ostensoir »).
Tous sont des termes empruntés à la liturgie (c'est-à-dire à
l'exercice du culte) ; tous possèdent les mêmes sonorités.
On peut en conclure que la comparaison a pour but de
nous faire accéder à un autre plan de réalité, religieux,
mystique (cf. thème : *la beauté et la volupté baudelairiennes*).

Étude du rythme et des sonorités

● *Les effets tirés du pantoum*

- *Un effet incantatoire :* la répétition des mêmes vers
parvient, par la reprise de formules quasi magiques, à
rendre sensible l'ivresse envoûtante du soir. De plus, le
nombre réduit de rimes (il n'y a que deux sortes de rimes
en « ige » et « oir » dans tout le poème) souligne la présence
obsessionnelle du « soir », véritable leitmotiv sonore de
tout le poème.

- *Un effet mimétique* (la forme du poème semble pour
ainsi dire mimer son contenu). En effet, le mouvement
grisant du pantoum reprend, sur le plan musical, l'ivresse
du tournoiement de la valse.

- *Le rythme du vers*

L'harmonie du soir est rendue sensible par la scansion régulière de l'alexandrin (segmenté 6/6). La coupe centrale du vers (appelée césure) permet de mettre en valeur les mots placés devant ou derrière elle. Cette position est surtout occupée par les verbes qui irradient ainsi leur mouvement dans tout le vers :

« Chaque fleur *s'évapore* / ainsi qu'un encensoir. » (v. 2)

« Le violon *frémit* / comme un cœur qu'on afflige. » (v. 6)

« Ton souvenir en moi / *luit* comme un ostensoir. » (v. 16)

On trouve aussi des effets de chiasme (c'est-à-dire de symétrie croisée) :

« Valse *mélancolique* et *langoureux* vertige. » (v. 7)

Le chiasme souligne la relation de cause à effet valse-vertige (encore renforcée par l'allitération en « v ») et l'alliance de mots « mélancolique et langoureux ».

Enfin la diérèse (on dit le « vi/olon frémit » en comptant trois syllabes pour le mot « violon » au lieu de deux) suggère, par la dissociation du « i » et du « on », le déchirement affectif produit par la musique.

- *Étude des sonorités*

Les assonances en « i », son aigu, traduisent les impressions les plus ténues (« vibrant sur sa tige », v. 1) ou l'acuité de la souffrance (« afflige, v. 6 ; « fige », v. 12).

Le jeu allitératif est aussi très suggestif. L'allitération en « v » du vers 1 rend sensible la vibration provoquée par le souffle du vent :

« *V*oici *v*enir les temps où *v*ibrant sur sa tige. »

La fluidité musicale de la valse est enfin rendue par l'allitération des liquides (« l » et « r ») :

« Va*l*se mé*l*anco*l*ique et *l*angou*r*eux ve*r*tige. » (v. 4, 7)

PLAN POUR UN COMMENTAIRE COMPOSÉ

1. La souffrance du poète

a) Une souffrance amoureuse provoquée par le temps et par l'absence :
- cf. étude du vocabulaire affectif, p. 68 ;
- cf. structure : les motifs du violon et de la valse, p. 67 ;
- cf. étude des sonorités (diérèse et assonance en « i »).

b) Angoisse et spleen :
- cf. thème : *l'univers du spleen*, p. 69 ;
- cf. étude des images, p. 70, 71.

2. Ambiguïté de cette souffrance

a) Ambivalence du souvenir.
  Le souvenir n'engendre pas seulement la mélancolie ; c'est aussi une lumière (cf. thème : *le rôle du souvenir,* p. 70).

b) Souffrance et volupté sont en fait indissociables :
- cf. thème : *la beauté et la volupté baudelairiennes*, p. 70 et alliance de mots « mélancolique et langoureux » ;
- cf. étude des sonorités, p. 72.

3. Sublimation de la souffrance (c'est-à-dire métamorphose de cette souffrance en une émotion agréable)

a) Métamorphose par la poésie : la souffrance se change en beauté, la mélancolie devient émotion esthétique :
- cf. thème : *les correspondances*, p. 69, étude de l'harmonie créée par les correspondances ;
- cf. thème : *la beauté et la volupté baudelairiennes*, p. 70 ;
- cf. analyse du titre + les effets du pantoum, p. 71.

b) Métamorphose par le sentiment religieux et le mysticisme, c'est-à-dire l'intuition du mystère des choses :
- cf. étude du lexique religieux, p. 68 ;
- cf. thème : *les correspondances*, p. 69 (correspondances verticales) ;
- cf. étude des comparaisons, p. 70.

10 | La Mort des amants

Nous aurons des lits pleins d'odeurs légères,
Des divans profonds comme des tombeaux,
Et d'étranges fleurs sur des étagères,
Écloses pour nous sous des cieux plus beaux.

5 Usant à l'envi leurs chaleurs dernières,
Nos deux cœurs seront deux vastes flambeaux,
Qui réfléchiront leurs doubles lumières
Dans nos deux esprits, ces miroirs jumeaux.

Un soir fait de rose et de bleu mystique,
10 Nous échangerons un éclair unique,
Comme un long sanglot, tout chargé d'adieux ;

Et plus tard un Ange, entr'ouvrant les portes,
Viendra ranimer, fidèle et joyeux,
Les miroirs ternis et les flammes mortes.

COMMENTAIRE COMPOSÉ

Ce sonnet ouvre la cinquième section des *Fleurs du Mal*, consacrée à la mort. La mort s'impose comme la seule issue possible au terme d'un parcours désespéré, car le poète a épuisé le champ des consolations illusoires[1]. La mort devient l'unique espoir d'accéder à l'infini et le symbole parfait de l'amour heureux.

Ce poème nous présente une vision idéale de l'amour ou plus précisément une vision idéalisée par la mort. On examinera donc dans un premier temps cette union indissociable de l'amour et de la mort. Nous verrons ensuite que cette fusion est rendue possible par une spiritualisa-

---

1. Cf. Introduction, p. 5.

tion de la relation amoureuse. Enfin, on remarquera que la mort est la condition indispensable d'une évocation poétique de l'amour car elle supprime tout ce qui peut le menacer : le temps, l'espace, bref la réalité elle-même.

[*Une conception idéalisée de l'amour par la fusion de l'amour et de la mort*]

La Mort des amants est avant tout une évocation de l'amour absolu. Celui-ci repose sur l'image du couple parfait. Cette notion, présente dans le titre même (La Mort des amants), est au cœur du poème. Le couple est représenté syntaxiquement par le pronom personnel «nous» qui encadre la première strophe :

« *Nous* aurons des lits pleins d'odeurs légères. » (v. 1)
« Écloses pour *nous* sous des cieux plus beaux. » (v. 4)
Adjectifs qualificatifs et substantifs insistent encore sur la profonde unité du couple en montrant l'être aimé comme un autre soi-même, un reflet, un double :

« Nos deux cœurs seront deux vastes flambeaux,
Qui *réfléchiront* leurs *doubles* lumières. » (v. 6 - 7)
Ces motifs sont repris par les thèmes du miroir et de la gémellité[1] :

« Dans nos deux esprits, ces miroirs jumeaux. » (v. 8)
L'unité du second quatrain repose sur le leitmotiv du couple : répétition lancinante du chiffre «deux»; présentation par paire de certains objets : les «miroirs» (v. 8), les «flambeaux» (v. 6). Les rimes «flambeaux / jumeaux» (v. 6 / 8) confirment, sur le plan formel, ce système binaire.

On reconnaît ici le thème romantique du double[2] et la quête de l'unité originelle. Celle-ci est rétablie dans la strophe suivante puisque les amants ne font plus qu'un :

« Nous échangerons *un* éclair *unique*. » (v. 10)
Mais n'est-ce pas la mort qui permet cette union intense

---

1. C'est-à-dire le fait d'être jumeaux.
2. Derrière la quête romantique de l'alter ego, de l'autre soi-même, se profile peut-être le mythe grec de l'androgyne. Selon cette croyance, l'être humain était à l'origine masculin et féminin; depuis la séparation des sexes, il recherche sa moitié perdue pour reconstituer son unité.

et définitive des amants? Songeons aux couples célèbres de la littérature, à Roméo et Juliette. Seule la mort a pu empêcher leur séparation et les réunir à jamais. Baudelaire reprend cette conception très romantique de l'amour puisque la mort vient consacrer l'union absolue du couple.

Cette fusion des thèmes s'effectue grâce à un vocabulaire ambivalent renvoyant aussi bien à l'amour qu'à la mort :

- les «lits» (v. 1) font penser à la fois au lit du mort et au lit amoureux ;
- les «divans» (v. 2) sont comparés à des «tombeaux» (v. 2) ;
- les «flambeaux» (v. 6) symbolisent les feux de l'amour mais désignent aussi les bougies qui entourent les morts.

Cette ambiguïté est encore perceptible dans l'emploi des adjectifs : les «divans profonds» évoquent l'intensité de la volupté, mais aussi une sorte d'ensevelissement dans la mort tout autant que dans l'amour. Quant aux «étranges fleurs» (v. 3), ne sont-elles pas venues d'un autre monde, de l'autre monde? Enfin, l'épithète «dernières» dans l'expression «chaleurs dernières» (v. 5) signifie aussi bien extrêmes qu'ultimes. Baudelaire unit ainsi les degrés suprêmes de la passion et les derniers moment d'une vie. Amour et mort se confondent donc bien pour peindre l'amour absolu. Voyons maintenant par quel moyens cette fusion est rendue possible.

[*Le glissement du plan sensuel au plan spirituel*]

Cette perception idéalisée de l'amour et de la mort est en fait sous-tendue par un ardent mysticisme fondé sur une double croyance. Pour Baudelaire, l'expérience sensuelle se prolonge toujours en une extase spirituelle et la mort aboutit à une survie idéale : celle de l'esprit.

Tout au long du poème, nous constatons un glissement progressif du sensuel au spirituel. Certes, le poème s'ouvre sur une impression sensible, les parfums :

«Nous aurons des lits pleins *d'odeurs légères.*» (v. 1)
Mais l'allusion à des «odeurs légères» dans un contexte érotique témoigne déjà d'un gauchissement de l'expé-

rience sensuelle. Baudelaire rejette les «parfums corrompus, riches et triomphants» au profit de parfums «frais», purs et spirituels. On remarque encore une disparition progressive des termes à forte connotation érotique. Les jeux de la chair présents dans l'allusion aux «divans profonds» (v. 2) et dans le mot «chaleurs» («Usant à l'envi leurs chaleurs dernières», v. 5) s'effacent pour laisser place aux sentiments («Nos deux cœurs», v. 6) puis à la contemplation spirituelle («Dans nos deux esprits», v. 8).

Le vocabulaire se trouve toujours aux confins de l'univers sensuel et de l'univers religieux. Le choix des couleurs, par exemple, est significatif. Aux couleurs violentes, éclatantes, caractéristiques d'un climat passionnel, Baudelaire préfère les tons pastel :

«Un soir fait de rose et de bleu mystique» (v. 9)
plus propres à évoquer un sentiment nourri de pureté et de spiritualité. Le rose et le bleu ne renvoient-ils pas, dans l'imagerie religieuse traditionnelle, à la couleur des vêtements de la Vierge et des anges ? Enfin l'épithète «mystique» attribuée aux couleurs désigne des teintes sans équivalent sur terre.

La survivance de l'âme dans l'au-delà est attestée par la référence aux «cieux» (v. 4), séjour de Dieu et des âmes ressuscitées, et par l'intervention de l'Ange (v. 12). La mort n'est pas conçue comme une fin mais comme le passage du terrestre au céleste, symbolisé par le motif des portes :

«Et plus tard un Ange, entr'ouvrant les portes.» (v. 12)
Le verbe «ranimer», au sens de redonner la vie, restituer l'âme (*anima* en latin), insiste enfin sur la permanence de l'âme :

«Viendra ranimer, fidèle et joyeux,
   Les miroirs ternis et les flammes mortes.» (v. 13-14)
La mort est donc à double titre une figure de l'amour parfait : parce qu'elle n'en conserve que l'essence spirituelle mais aussi parce qu'elle le rend éternel en le libérant du temps. Mais une telle conception de la mort et de l'amour n'est-elle pas une vue de l'esprit, un produit de l'imagination ?

En fait, *La Mort des amants* revêt un caractère idéal, car elle procède d'une rêverie qui comble toutes les aspirations du poète. Nous sommes en effet frappés par le caractère onirique de l'atmosphère dans laquelle évoluent les deux amants. Le seul temps employé dans ce sonnet est le futur :

« Nous *aurons* des lits... » (v. 1)

« Nos deux cœurs *seront*... » (v. 6)

Ce n'est pas le temps de l'action réelle, mais un temps fictif qui permet à l'imaginaire de se déployer.

Cette impression de rêve est rendue par une dimension temporelle extrêmement vague : durée indéfinie de la contemplation, indétermination de l'instant où meurent les amants (« un soir... », v. 9) et du moment de la résurrection (« Et plus tard un Ange... / Viendra ranimer... », v. 12 - 13).

Les amants s'unissent dans une sorte de hors-temps proche de l'éternité. Rien ne vient heurter le rythme bercé du poème, seulement marqué par la sensation régulière du décasyllabe (vers de dix syllabes, prononcé ici 5/5). L'impression d'un temps étale est suscitée par de nombreux procédés qui visent à allonger le vers : présence de « e » muets qui viennent suspendre le vers à la fin de chaque rime féminine (« légère*s*, v. 1 ; « étagère*s* », v. 3 ; « dernière*s* », v. 5 ; « lumière*s* », v. 7) ; son prolongé des voyelles nasales « an » et « on » (« div*ans* », v. 2 ; « étr*an*ges », v. 3 ; « prof*on*ds, v. 2 ; « *tom*beaux », v. 2) pour le premier quatrain.

L'espace présente le même caractère onirique. Espace imaginaire, il parvient à concilier les contraires : lieu clos, lieu de l'intime (« lits », v. 1 ; « divans », v. 2), il est aussi ouvert, illimité, tendu vers l'infini. On remarque en effet l'agrandissement provoqué par le jeu des « miroirs » (v. 8) et l'impression d'immensité produite par l'adjectif « vastes » (« vastes flambeaux », v. 6).

Enfin l'irréalité du lieu est suggérée par l'étrangeté des fleurs (v. 3), et l'immatérialité des couleurs (« rose et bleu mystique », v. 9).

Les sensations sont tout aussi ambiguës. La souffrance ne possède pas ici l'acuité et la violence d'une douleur véritable. Elle est ouatée et presque voluptueuse. Le « *long sanglot,* tout chargé d'adieux » (v. 11), prend une résonance suave grâce au voilement sensuel des voyelles nasales (« on, an ») associé à la fluidité des liquides (1).

Ce sonnet laisse une impression dominante de glissement, dans un univers sans pesanteur. Elle est surtout rendue sensible par les allitérations en liquides qui ouvrent et closent le poème :

« Nous aurons des *l*its p*l*eins d'odeu*r*s *l*égè*r*es. » (v. 1)
« *L*es mi*r*oi*r*s te*r*nis et *l*es f*l*ammes mo*r*tes. » (v. 14)

En fait, la mort est perçue par Baudelaire comme un voyage. Aussi n'est-ce pas un hasard si nous retrouvons dans ce poème des échos de *L'Invitation au voyage.* Les « *étranges* fleurs » (v. 3) qui décorent la chambre des amants ne rappellent-elles pas « les plus *rares* fleurs » de *L'Invitation au voyage.* Les « cieux plus beaux » (v. 4) de notre poème ne correspondent-ils pas au « là-bas » de *L'Invitation.* Enfin, une même atmosphère de douceur et de volupté caractérise les deux poèmes.

Dans *L'Invitation au voyage*, Baudelaire avait rêvé l'amour. Mais le rêve, éphémère par nature, ne pouvait trouver son prolongement que dans la mort. En détruisant le corps, elle délivre l'amour de la matière et du péché, car le plaisir charnel est souvent lié chez Baudelaire à la débauche, au mal. En abolissant le temps, elle le rend à l'infinie liberté de l'éternité.

Conclusion

La réussite de ce poème repose sur la fusion intime d'un parcours mental et poétique, fondé sur la métamorphose de l'expérience charnelle en vie spirituelle. Échappant à l'amour passion, destructeur et toujours condamné, *La Mort des amants* réalise la fusion éternelle du couple sur un mode apaisé. Ce sonnet atteste une source d'inspiration paradoxale car la mort reste seule capable de donner vie à l'imaginaire.

Index des thèmes

Imprimé en France — par l'imprimerie Hérissey, Évreux (Eure)
Dépôt légal : 9313 - Juillet 1986 — N° d'impression : 40505